米中「利権超大国」の崩壊

アメリカに中国を切って生き延びる道はあるのか

増田悦佐
Etsusuke Masuda

ビジネス社

はじめに

中国経済をめぐる謎は、なぜあれほど大きな対外純資産を持っている国が、対外金融所得収支では赤字なのかという一点に収斂《しゅうれん》する。私なりの考えがおよぶかぎりでいちばん論理的な整合性の高い答えは出せたと思う。

その答えを書いたのが第1章だ。

つまり中国共産党は一党独裁体制維持のために国有企業群を始めとするさまざまな利権集団の助けを借りている。そして国民がおこなった貯蓄の大部分を、国有企業群への利権分配で使ってしまう。だから民間企業の成長のための原資は、アメリカに無利子で貸しておいたカネを、アメリカに高い金利・配当を払って借り戻している。

第1章では、都市と農村、同じ都市住民の中でも都市戸籍を持っている人たちと農村戸籍のまま都市に住んでいる民工と呼ばれる人たちとの身分格差も論じた。

第2章では、中国社会をおおう利権の構造に焦点を当てた。なぜ汚職・腐敗撲滅運動で頭角をあらわしたリーダーが失脚してみると、汚職まみれだったとわかるのかも納得のいく説明ができたと思う。中国の経済成長は、出発点からどっぷり不動産開発がらみの利権にひたりきっていた事情も明らかにした。

第3章では、少なくとも中国と同じ程度には贈収賄がはびこっているアメリカ政治の現状を取り上げた。なぜか日本ではめったに論ずる人がいないが、アメリカは贈収賄が合法的な政治活動と認められている数少ない国のひとつだ。ひょっとして唯一なのだろうか。その影響は政財界にとどまらない。

第4章は、現代中国著名人列伝と銘打って、失脚した野心満々の政治家、大量の不良債権をつくってしまった不良債権回収会社社長、ふたりの新興企業総帥、そして前首相温家宝夫妻と、現国家主席習近平夫妻を俎上《そじょう》に載せた。

中国金融業界の旧体質を公然と批判したジャック・マーの前途にはかなりきびしいものがありそうだ。

第5章では、中国農村の闇に少しでも近づく努力をしてみた。都市戸籍を持って生まれ育ち、都会暮らしをしている中国人にとっても、まったく同じ時代に同じ国で生きている人たちという実感が持てないほど異なる環境で生きているのではないか。

中国の金融業界が今後6~7年間のうちに大激震に見舞われないはずはないと思う。だが、もし金融破綻の連鎖などが起きなかったとしても、農村で頻発する「群体性事件」が現政権を衰弱させる可能性は高いだろう。あるいは都市に居住する民工の暴動が起きるかもしれない。

第6章では、中国もアメリカも利権社会であると同時に大変な格差社会だと論じた。とくにアメリカの都市間の所得格差は、国民が居住地を自由に選ぶ権利を持っている国としては、異常に大きい。

そして、アメリカの現政権も、中国と同じような全面監視社会化を目論んでいる。薬品業界を大スポンサーとする民主党リベラル派は2020年に勃発したコロナ騒動なども巧みに利用して、利権構造をますます強固なものにしようとしている。

だがロックダウンは多種多様な店舗の集積という都市経済最大の魅力を大きく減殺し、最終的には都市の死滅まで招いてしまうのではないか。そこまで至らないうちに、大規模な社会変動が起きて都市の再生に向かうことはできるだろうか。

第1章 中国が次の覇権国家?ご冗談でしょう

第2章　ワイロがすべて――東の利権超大国中国

第3章 権力買えます――西の利権超大国アメリカ

第4章 現代中国著名人列伝

第5章 表面的には静かな陰の主役、民工と声高に不満を訴える都市戸籍保有者

第6章

アメリカに中国を切って生き延びる道はあるか

第1章

中国が次の覇権国家？
ご冗談でしょう

GDPが世界最大になれば、世界一豊かな国と言えるのか

早ければ2030年ごろ、遅くとも2035年までには中国の国内総生産（GDP）が、アメリカを上回って世界最大になるという。これで世界経済の覇権がアメリカから中国に移ると主張する人さえいる。

ほんとうにそんなことになるのだろうか。まず、この予測は「中国政府が発表している公式統計を信じれば」という大きな前提条件が付く。だが中国政府の公式統計はあまりにもずさんで、信用できないと考える研究者のほうが多数派だ。

たとえば中国の各省・自治区・直轄市の域内総生産を合計すると、必ず中国のGDPより大きな数字になる。出世コースの一段階としてこうした自治体の経済運営の責任者をしているエリート官僚が、かなり無理な目標を超過達成したと報告してくる。だから、いつも大きな数字になるのだ。

それを中央の経済官僚はたいていの場合自分も過去に同じことをやっていた記憶があるから、不自然なほど大きな数字が出ないように鉛筆舐め舐め修正して、国全体の目標数値に合わせる。だから、どんなに大事件が起きても中国のGDP成長率は、だいたい期初の

予想どおりに収まる。

そもそもでっち上げたデータを、過去の経験によって修正しているわけだから、経済の実勢にぴったり合致した数字が出たらそのほうが不思議だ。というわけで、アメリカを代表する経済研究機関のひとつブルッキングス研究所は、その名も『中国国民経済計算の現場検証』（２０１９年３月刊）と題した論文で、こう述べている。

「中国については、毎年ＧＤＰ成長率が約２パーセンテージポイントずつ過大評価され、現在のＧＤＰは約12％実勢より大きく表示されている」

この推定を受け入れれば、中国のＧＤＰがアメリカを追い抜くのは10年や15年先ではありえず、もっと遠い将来の話となる。また、たとえ実際に２０３０～35年のうちに中国がＧＤＰでアメリカを抜いたとしても、それで中国は世界一豊かな国になったと言えるのかというと、はるかに大きな問題が出てくる。

中国の人口はアメリカの５倍に近い。だからＧＤＰ総額がアメリカより大きくなっても、１人当たりで見れば20％を超える程度に過ぎない。具体的に言えば、２０２０年の段階でアメリカのＧＤＰは約21兆ドルに対して、中国のＧＤＰは約14兆７０００ドルだった。しかし、それぞれ人口で割って１人当たりにすれば約６万３０００ドル対約１万ドルという大きな差になる。

2035年には中国が30兆ドルに対してアメリカが28兆ドルとなって、GDP総額では1位と2位が逆転していたとしよう。中国の実質成長率が5%で、アメリカの実質成長率が約2%ならそうなるので、あり得ないことではない。だが双方の人口成長率に現時点での予測とあまり大きな変化がなければ、1人当たりで見るとアメリカが約8万ドルに対して中国が2万ドルと、6・3倍から4倍に差を詰める程度にとどまる。

波乱万丈となりそうな今後15年間を年率5%の実質成長率で駆け抜けるというのは、そうとう楽観的な予測だ。それでも中国は、いわゆる先進国にはとうてい及ばない生活水準にとどまるわけだ。2020年現在の世界各国の1人当たりGDPの中に並べてみると、クウェートやサウジアラビアのような産油国よりやや低く、リトアニア、スロバキア、ギリシャといった東欧・南欧諸国よりやや高くなる程度だ。

所得水準の話がそこで収まらないのが、中国社会の怖いところだ。

都市住民対農村住民のすさまじい格差

中国では都市住民と農村住民とのあいだに、所得格差どころか身分差と言えるほど大きな格差が存在する。中国では「農民」という単語にはふたつの意味がある。ひとつは農業従事者ということで、これは日本語の農民と同じだ。もうひとつは農村住民ということだ。どんな職業に就いていても、農村に住んでいる人は全部農民ということになる。

農村に住んでいても、その土地で田畑を耕していない工場労働者や商店の店員は、どこに住んでも同じ仕事ができるはずだ。だから農村住民という表現にはあまり実質的な意味がないと感じる。農村では収入が低いと不満を感じた人は、どこかの都市に移住して、同じ仕事をすれば都市住民としての報酬を得られそうなものだからだ。

ところが中国では、現在でも農村から都市への人口移動を厳重に制限している。中国国家統計局のデータでも、２０１８年の時点で都市住民は農村住民の約２・７倍の可処分所得を得ていた。年収の低い人ほど所得税率も低くなっているはずなので、粗収入ベースで見れば農村住民は都市住民の３割程度の年収しか稼げていないだろう。次ページのグラフが明快に示すとおりだ。

このグラフの最終年次である２００９年のデータでは、農村住民の所得は都市住民のほぼ３割となっている。その後の急速な経済発展で豊かになった度合いは都市住民のほうがはるかに大きい。だから、現在この格差はもっと拡大しているだろう。

それでも一応慎重を期して、格差は２００９年からそのままだったとしよう。現在、中国では都市住民が人口の６割を占め、農村住民が約４割となっている。この比率に従って

都市と農村との所得格差は拡大の一途
1985～2009年

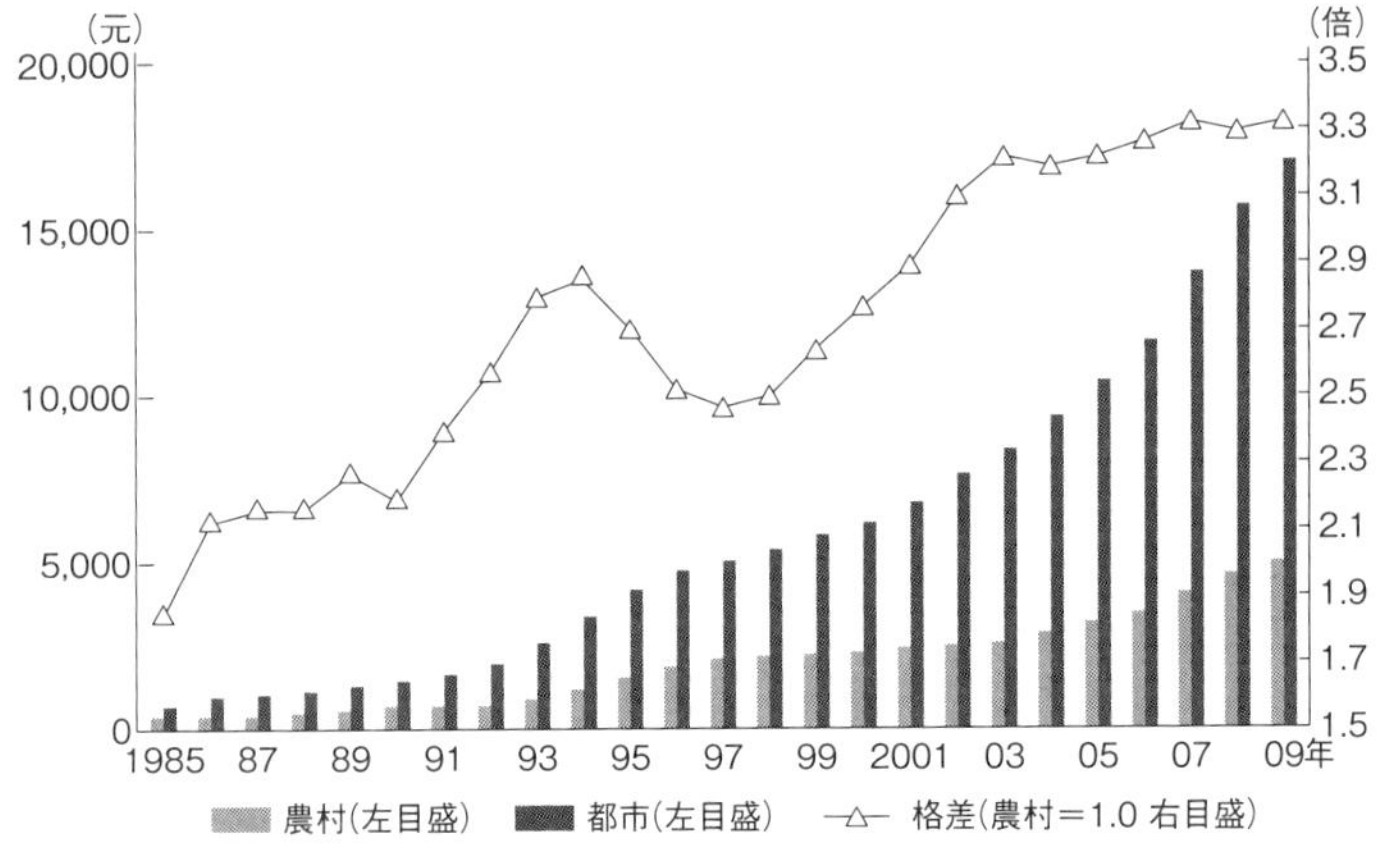

注：農村は1人当たり純所得、都市は1人当たり可処分所得。
原資料：（上）UNDP Webより三浦有史が作成
出所：三浦有史『不安定化する中国——成長の持続性を揺るがす格差の構造』（2010年、東洋経済新報社）、69ページより引用

１人当たり約１万２０００ドルのＧＤＰを都市住民対農村住民に振り分けて計算すると、農村住民の１人当たりＧＤＰは約４３００ドル、都市住民のＧＤＰは約１万４２００ドルとなる。

　これもまた、最新の各国１人当たりＧＤＰと比較してみよう。都市住民は中南米のほとんどの国より高く、東欧の中ではやや低めという生活水準を達成していることになる。だが農村住民の生活水準はナミビア、ヨルダン、インドネシア並みでしかない。

　国民の４割にものぼる人たちを世界各国中で下から数えたほうがずっと早いほど貧しい境遇に放置しておいて世界覇権を握ろうとは、おこがましいのではない

か。いや、放置しているどころではなく、この格差は政権を握った直後の中国共産党が意図的につくり出したものである可能性が高いのだ。

中国共産党は国共内戦に勝利した1949年から、都市の工業化に奉仕する農村の高度な集団化を意図して、「都市戸籍者」の都市での就業を最優先する政策をとった。陳桂棣・春桃著『中国農民調査』（2005年、文藝春秋）が、その経緯を教えてくれる。

労働者採用制度……の原則は「都市戸籍者」の都市での就業を安定させることのみに責任を負うことで、農村戸籍者が都市で就職できないようにした……。（中華人民共和国誕生からわずか4年後の――引用者注）一九五三年に打ち出された食糧統一買い上げ政策によって食糧と食用油の供給制度が施行された。その一方で戸籍制度にも「特別な方法」が生まれることになる。全国人民代表大会常務委員会で可決された「中華人民共和国戸籍登録条例」の第一〇条第二項で、農村戸籍者の都市への移動を制限した。

（同書123～124ページ）

補足しておくと、戸籍登録条例が施行されたのは、強引に全農民を人民公社に所属させてしまった1958年のことだった。もちろんアジア、アフリカ、中南米には、中国より貧しい国もたくさんある。だが政治権力を独占している政党が、農村戸籍を持って生まれた人間はたとえ何十年都市で働いていても都市戸籍への編入を許さず「民工＝出稼ぎに来た農民」扱いにしつづける政策をとっているのは、現代中国だけの特異現象ではないだろうか。

この政策の弊害は数えきれないほど出ている。すでに見たように都市と農村のあいだにすさまじい所得格差が生じる。

何十年都市に住んでも二級国民のままの農民

経済発展につれて農業就業者は過剰となるが、中国では都市に出ても出稼ぎ労働者にさせる程度の仕事しかあてがわれず、同じ町に住みつづけられる保証もない。だから、仕事がなくても農村部に滞留する人口が増える。

世界中の先進国、新興国で第一次産業（農林水産業）従事者は10パーセント未満、農村部人口も20〜30パーセントになっている。その中で、いまだに中国だけは第一次産業就業人口が約25パーセント、農村部居住人口が約40パーセントと、人口の都市移動が大きく遅れている。

また農村戸籍を持つカップルが、住みついている都市で結婚し子どもが生まれたとしても、その子は都市の公立小中学校に行けない。都市で設備も教師の質も劣悪なのに高い授業料を取る私塾に通わせるか、故郷の祖父母に預けてそこの小中学校に通わせるしかない。中国の義務教育は完全無償という建前だが、実際には都市部の小中学校でもさまざまな協力金を取られることが多い。ましてや日本で言えば村に当たる郷や鎮には、実入りのいいカネづるが少ない。だから執拗に校舎建設協力金のような本来払う必要のないカネをむしり取る共産党や自治体の悪徳幹部が必ずと言っていいほど存在している。

中国で貧しい農村に生まれると、初等教育を受けるだけでも大変なカネをしぼり取られることになる。当然、「現代の科挙」とも言われるむずかしい高考（正式名称は「普通高等学校招生全国統一考試」）を優秀な成績で突破してエリートコースに乗りたいなどと思っても、夢のまた夢で終わる。

ルポルタージュ『中国農民調査』は出版直後に絶賛を浴びたが、その後2か月で発禁処分を受けてしまった。次の引用で示すように現体制そのものを筆鋒鋭く糾弾しているのだから、むしろ出版できたこと自体が奇跡と言ってもよい本だった。

労働制度が都市労働者と農民とを分け、農民が工場の中に入ることを拒んできた。給料と福祉制度を受けられる人と受けられない人をつくり、結局、農民をあらゆる社会保障制度から排除した。こうした都市と農村との分割は……「一国二政策」の体制であり、教育、医療、労災、年金、福祉などの社会的な待遇も、流通、交換、配給、就職、生活補助などの経済的待遇も、都市と農村とではバランスをひどく欠いている。都市と農村とのあいだを分ける川は、……すべての農民に、母の胎内にいるときから「二等国民」という定めを与えた。（同書125〜126ページ）

毛沢東は『人民戦争理論』で「農村から都市を包囲する」と述べている。もちろん、それなりの大局観に立った戦略だったのだろうが、農村や農民をおだてて革命戦争の手駒として使いやすくする理論だったことも間違いない。

実際、中国共産党結党直後の指導部のほとんどが都会育ちで、頭はいいがひ弱なマルクス・ボーイたちだった。そのころは国民党軍だけではなく、地方の軍閥と戦っても連戦連敗だった。初期には第四軍・八路軍と呼ばれ、のちに人民解放軍と称するようになった中国共産党の軍隊は毛沢東・朱徳が実権を握り、農村に拠点を移してから強くなった。そして全国レベルで政権を奪取するまでは、それでよかった。

だが腐敗をきわめた国民党支配末期の中国諸都市に乗りこんだ共産党幹部の中には、たちまちこの腐敗に呑みこまれて安逸な生活にどっぷり浸った者もいただろう。そして彼らは心底「農村から包囲される」ことに怯えていたのではないだろうか。都市戸籍と農村戸籍の峻別は、それほど理不尽な恐怖心から出た政策に見える。

現代中国の三農問題、つまり農業・農村・農民問題の深刻さは、第5章でじっくり論ずる。ここでは中国政府首脳は世界覇権を夢見るより、自分たちの政権を支える経済基盤がいかに脆弱かを心配したほうがいいとだけ、忠告しておこう。

巨額の経常黒字を出しながら経済発展は外資頼み

何より重要な経済成長のための原資をどこから調達するかという点で、中国は独立国とは言えない。外資、しかも主として米国債購入というかたちでアメリカに貸したカネを、自国への投融資というかたちで「又貸し」してもらうことで資金循環をかろうじて成立させている。

貸すときにはほぼ全額無利子で貸して、そのうちほんの一部を「又貸し」してもらうときに高い金利や配当を支払っている。どうしてそんなことがわかるのかとおっしゃる方も多いだろう。証拠となるグラフがあるので、ご覧いただきたい。

ふつう経済関係のグラフは横軸に時間の推移を取っているが、このグラフはそうではない。意味を読み取りにくい方もおいでかもしれない。また、中国経済の危うさを象徴する重要なデータが詰まっているので、少し丁寧にご説明しよう。「くどくど言われなくてもすぐわかるよ」とおっしゃる方は、以下の3〜4段落を読み飛ばしていただきたい。

アメリカの法外な特権と中国の深刻な苦境

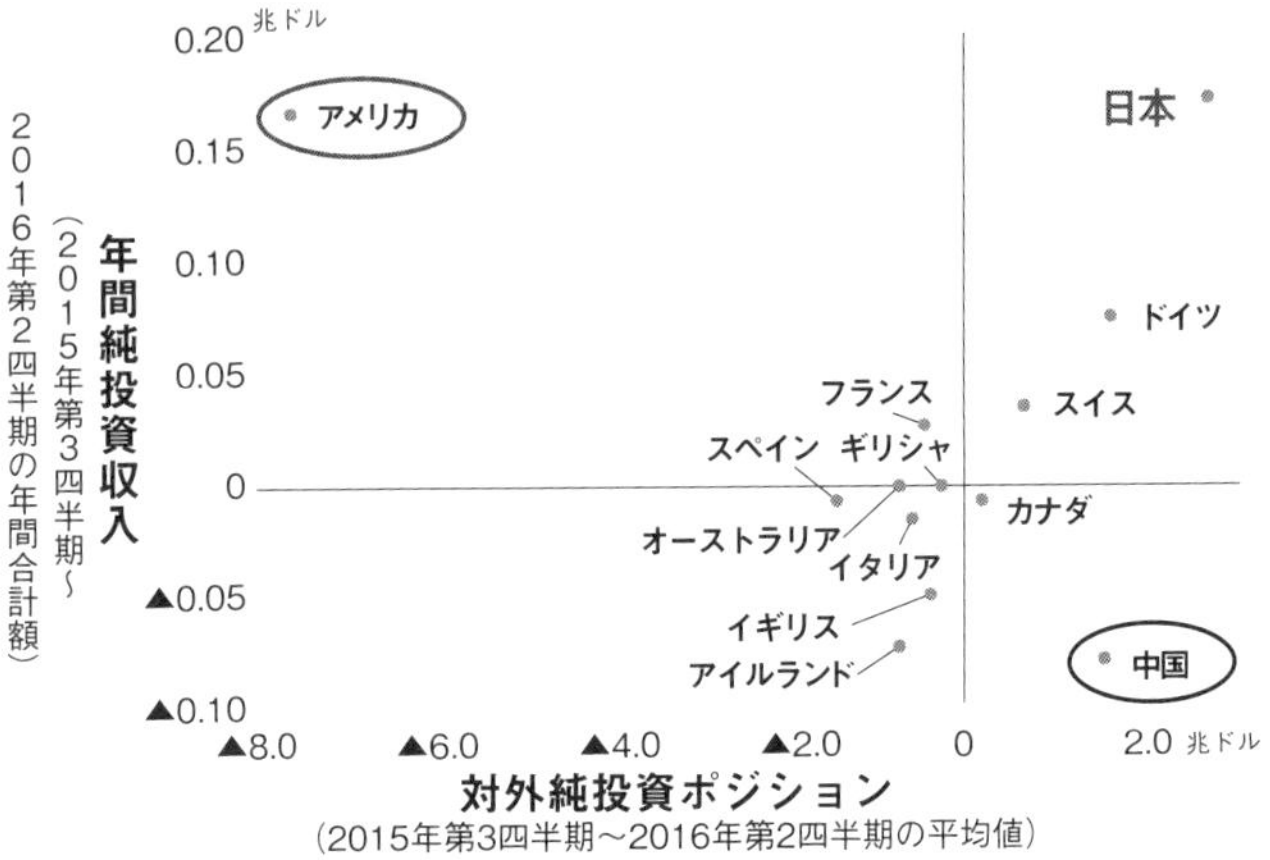

原資料：オーストラリア政府統計局、Haver Analytics、日本国財務省データをBenn SteilとEmma Smithが作図
出所：ウェブサイト『Zero Hedge』、2017年1月10日のエントリーより

まず横軸には、対外純投資ポジションが目盛ってある。それぞれの国が諸外国にしている投融資の総額から、諸外国がその国にしている投融資の総額を引いた数字だ。これがプラスならその国は対外純資産を持っているということ。またマイナスなら、その国は対外純債務を負っているということ。

縦軸には対外投融資から受け取る金利配当から、投融資を受けている諸外国に支払う金利・配当を引いた数字を目盛ってある。ここには年間純投資収入というラベルを付けているが、ふつうの会計用語では金融収支と言い、国際収支を扱う文章では所得収支と表現することが多い。この差額がプラスなら金融収支は黒字で、マイナスなら赤字だ。

海外への投融資から受け取る金利・配当の

ほうが海外からの投融資に支払う金利・配当より多ければ、その分だけ国全体として豊かになっている。逆に海外からの投融資に支払う金利・配当のほうが海外への投融資から受け取る金利・配当より多ければ、その分だけ国全体として貧しくなっている。当たり前のことだ。

常識的に考えれば、金利や配当を受け取るには、それに見合う資金を投下していなければならない。対外純資産が大きいほどその国の金融黒字も大きく、対外純債務が大きいほどその国の金融赤字も大きいはずだということになる。このグラフの上では、右上から左下に並ぶのが順当な配置というわけだ。右上端の日本から左下のアイルランドまでは、そうなっている。

ところが、このグラフではアメリカと中国の2か国が常識では考えられない位置にある。中国は経常黒字額ではトップグループの国で、対外純資産も首位の日本に次いで、ドイツと2位争いをしている。しかし金融収支のほうは、わずかな黒字さえ稼げなかった。なんと世界最大の赤字国となっていたのだ。

逆にアメリカは対外投資ポジションで断トツの純債務国だ。２０１５年下半期から２０１６年上半期の平均値で、海外からの投融資受け入れ額のほうが海外に投融資をおこなった額より8兆ドル近くも多かった。間違いなく世界最大の借金王だ。しかし金融収支は赤

中国のGDP成長率と輸出入に占める外資系のシェア推移
1991〜2007年

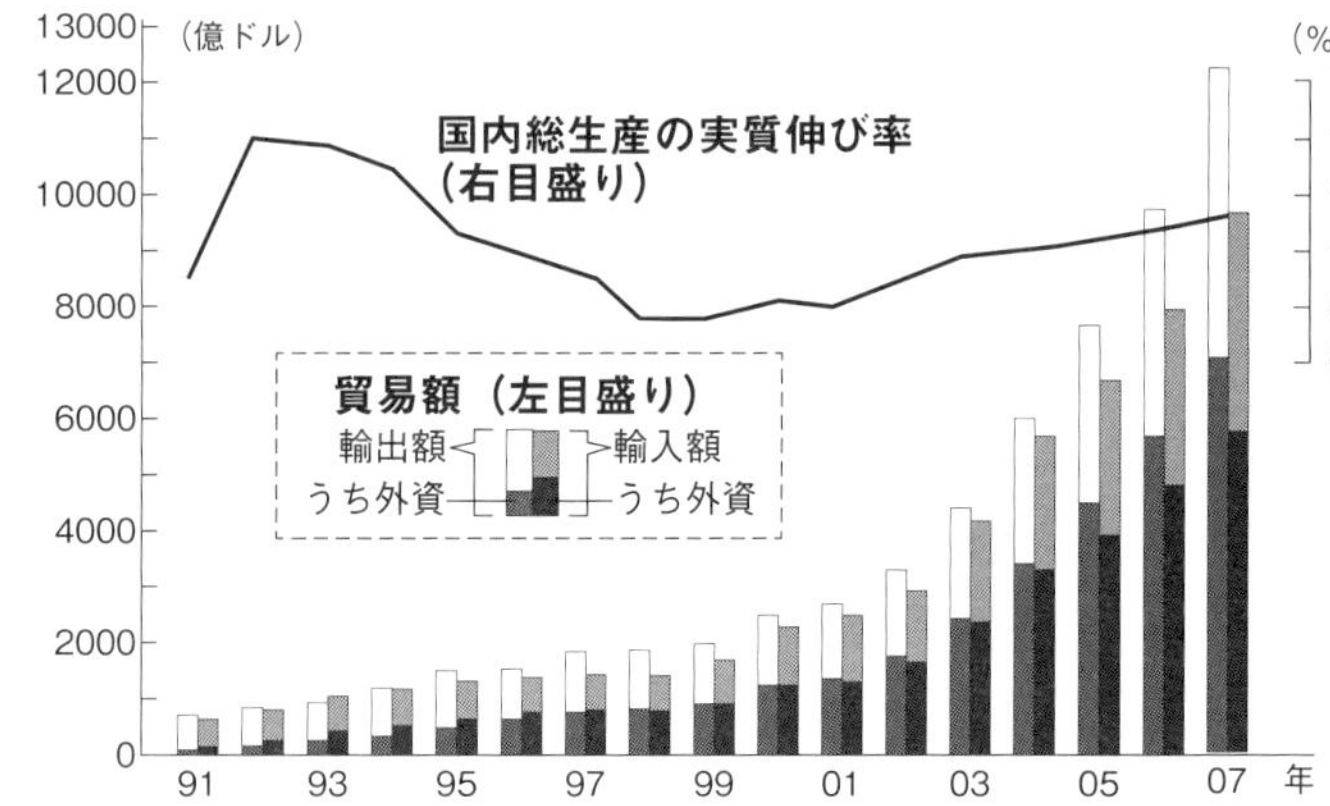

原資料：国家統計局と税関総署のデータから吉岡桂子作成
出所：吉岡桂子『愛国経済　中国の全球化』(2008年、朝日選書)、136ページより引用

字どころか、約１７００億ドルと、日本に次ぐ大きな黒字を稼いでいたのだ。

　なんでこんなに不思議なことが起きるのだろうか。じつはアメリカが莫大な債務超過国でありながら、金融収支は黒字だということについては、それほど奇妙なことでもない。

　そこには世界最大の製品輸出国、中国の莫大な輸出額の過半数を、アメリカから出発して巨大化し、多国籍化した企業の中国現地法人が担っているという事情も介在してくる。

　上のグラフでご覧のとおり、20世紀末までは、中国輸出額の過半数を地元中国の企業が担っていた。しかし当時としては成長率が鈍化して２ケタを割りこみ、８パーセント前後まで落ちこんだ１９９９～２００３年ごろ、輸出が牽引する中国経済の成長率再加速に貢献したのは、主として外資系企業だった。

とくにアメリカ企業は当時、本国でハイテク・バブルが崩壊したので、めぼしい投資先に困っていた。そこで労賃の安い中国に工場を移転して、そこからアメリカをふくむ世界各国に製品を輸出する方針をとった。２００７～09年の国際金融危機のあと、アメリカ経済の回復は急速だった。その一因はちょうどそのころ、２００３年ごろから蒔きはじめたタネが実を結んだことだろう。

アメリカ系多国籍企業の中国現地法人が資金調達するには、中国よりアメリカの金融市場を選ぶほうが自然だ。もちろん中国企業から投融資を受ければ、経営に口を出されるとか、技術を盗まれるなどのマイナスも考慮しただろう。だが最大の理由は、まだ新興国で金利の高い中国に比べて、先進国で金利の低いアメリカは資金調達をする側にとって魅力的な市場だということだ。

つまり外資系の中国現地法人がアメリカの金融市場で資金を調達するのは、金利が低いからだという要因が大きい。だからこれは、アメリカの（金融）所得黒字があれほど巨額になっている理由にはならない。またアメリカに対外純資産を持っているのに金利・配当収入を取れないどころか、金利・配当支払いをしている国は中国一国ではない。

アメリカの対外純債務8兆ドルは、中国の対外純資産2兆ドル弱よりはるかに大きいし、アメリカの（金融）所得黒字約1700億ドルは中国の（金融）所得赤字約800億ドルの2倍以上になっている。そこには新興国・発展途上国が共通して抱えている、自国内金融市場の金利水準の高さや、外資を導入しようとしたときの信用度の低さという問題もからんでくる。

先進諸国の国債市場で低金利、ゼロ金利、マイナス金利が話題になる前から、アメリカ財務省が発行する短期国債（償還期限3か月以内）は事実上金利ゼロだった。インフレ率を差し引いた実質ベースでは、明らかにマイナスだ。最近は10年債でさえ名目で1・5〜1・6パーセント、実質ではマイナス金利が定着している。

一方、新興国、発展途上国の企業には、自国の信用でカネを借りるより、米国債を担保にして借りたほうが低金利で済むという国も多い。だから金利収入を当てにできなくても、買った米国債を担保にして安くカネを借りられればそのほうが得だと判断することもある。

一般論として、国内に経済成長のための原資が乏しい国が海外から投融資を仰ぐのは、しかたがない。だが、中国は世界最大級の経常黒字国で、資金は潤沢に持っている国だ。その点は、次ページのグラフに明瞭に出ている。

中国経済を支える資金需給を、国内の家計、政府、非金融企業と海外とにわけて示すグ

中国は一貫して海外の資金不足を補ってやっている
1992～2007年

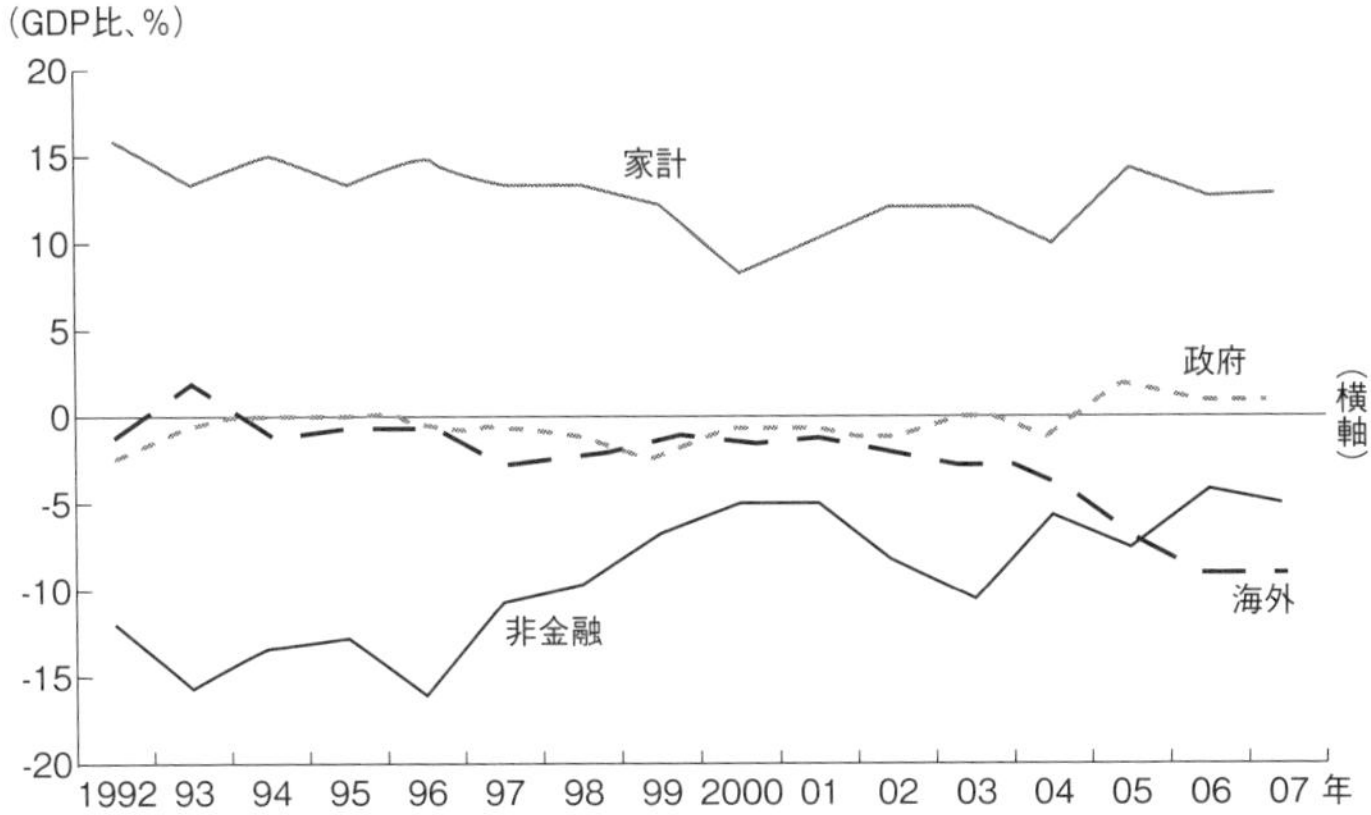

注：非金融とは金融以外の法人企業を指す。
原資料：CEICほかのデータより三浦有史が作成
出所：三浦有史『不安定化する中国――成長の持続性を揺るがす格差の構造』（2010年、東洋経済新報社）、15ページより引用

ラフだ。プラス、つまり横軸より上は資金に余剰があって供給する側、マイナス、つまり横軸の下は資金不足で投融資を受ける側を示す。

２００７年まで家計は一貫してＧＤＰの10パーセント前後から、ときには15パーセント近い貯蓄を維持して資金を供給する側にいた。大部分は銀行預金のかたちで、銀行経由の融資として企業に資金を供給していたわけだ。

このグラフの最終年である２００７年までは、政府も財政黒字を出して供給側に回っていた。さすがに２０１０年以降は中国も急速に財政赤字が拡大して、日本同様ＧＤＰの10パーセントを超える資金需要を国債発行でまかなっている。

2018年上半期、中国の経常収支が赤字に転落
中国の半期別経常収支内訳の対GDP比率、2005〜18年

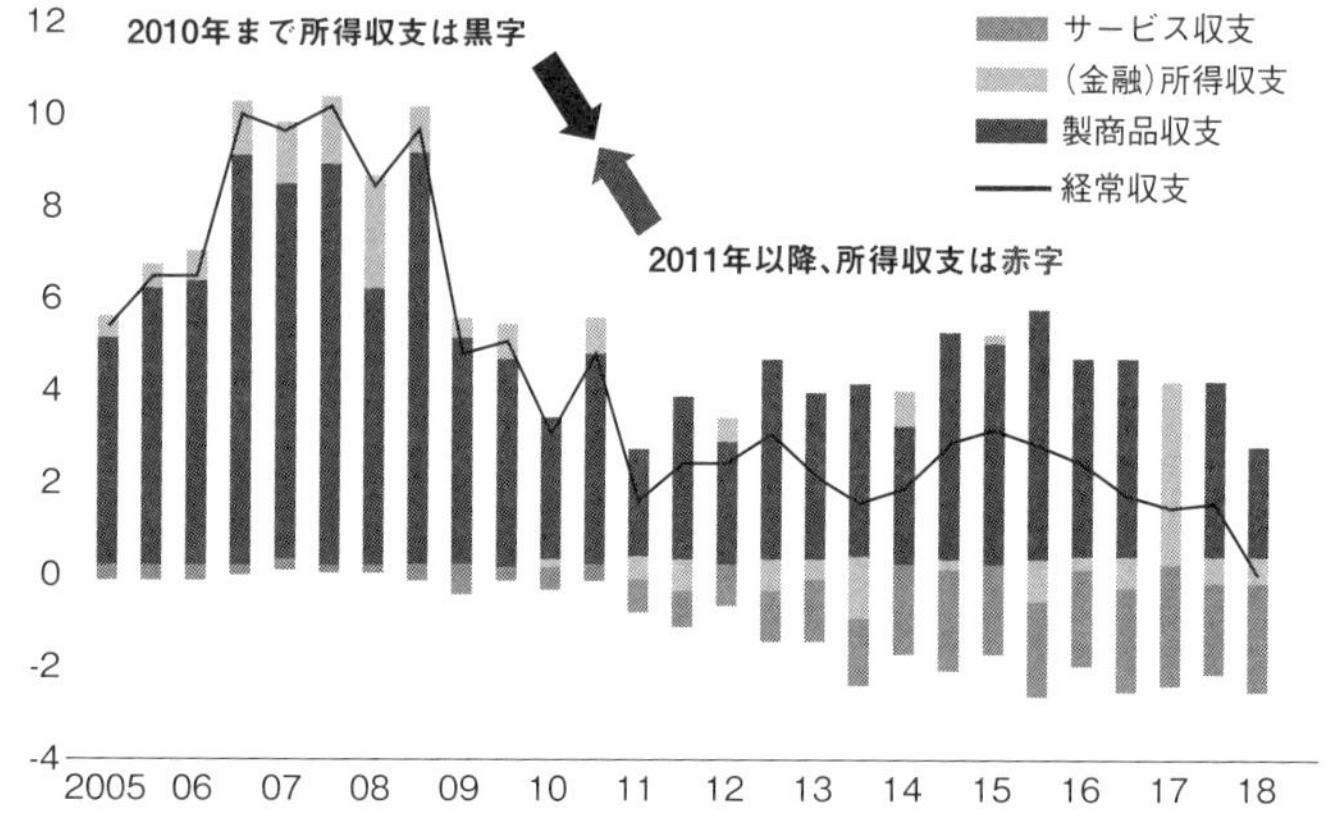

原資料：SAFE、CEIC、ソシエテ・ジェネラル　クロスアセット・リサーチ部、同経済分析部
出所：ウェブサイト『Zero Hedge』、2018年10月25日のエントリーより引用

一方、金融業をのぞく法人企業と海外諸国が、家計と政府から供給された資金を投融資として受け取る側に立っていた。国内企業の投資のための資金需要を満たすだけの貯蓄はあるのだ。

その中国が自国民の貯蓄や貿易収支の黒字を使って、大量の米国短期債を買っている。ほぼ無利子で貸しているのと同じことだ。さらにアメリカをふくむ諸外国からカネを借りたり投資してもらったりして、巨額の金利や配当を払っている。これは明らかに異常だ。

海外からの投融資に頼らず、自国民が貯めた貯蓄や経常黒字で稼いだ外貨を自国の企業活動への投融資に使えば、金利や配当は自国内にとどまる。その分だけ、国民全員が豊かになれる。実際に国際金融危機が一段落して、先進諸国の金融市場が落ち着きを取り戻した２０１０年まで、中国の所得収支は黒字だった。

前ページのグラフでご覧のとおり、２０１１年以降は、毎年所得赤字を出している。しかも２０１８年上半期の貿易収支は製商品の黒字とサービスの赤字がほぼ拮抗していたが、所得収支の赤字分だけ経常収支全体が赤字になっていた。

なお、このグラフを見ていると、所得収支は製商品収支やサービス収支に比べて金額が小さい。だから、あまり重要な項目ではないと思ったら、大間違いだ。

輸出する製商品には、原材料、中間財（部品）、労賃、資本の減耗費、販管費、金利負担などのコストがかかっている。このコストを差し引いて残った分が、貿易によって得た富ということになる。サービスの場合はコストの大部分が労賃や販管費、金利負担だが、こちらもコストを差し引いて残った分だけが利益だ。

一方、金利・配当収入は、海外への投融資額はそのまま温存した上で入ってくる、まるまる儲けと言ってよい収入だ。だからこそ国際会計では、（経費差し引き済みの）所得収支と呼んでいる。

ちなみに日本経済は貿易収支で、ときどき赤字を出すようになってきた。だが（金融）所得収支は安定して多額の黒字を維持している。つまり経常収支では同じような金額の黒字だったとしても、中国よりずっと中身の濃い黒字を出しつづけているのだ。

なぜ莫大な対外純資産国が金融赤字？

22ページのグラフは、国際金融の仕組みさえわかれば、何を意味しているかも明解だ。中国はほとんど無利子で貸した莫大な金額の対外投融資のうち、ごく一部を高い金利・配当を支払いながら借り戻している。だから巨額の対外純資産を持ちながら、（金融）所得収支は赤字なのだ。

謎はそこから始まる。なぜ中国は莫大な対外純資産を持ちながら、対外金融収支では金利・配当を受け取る側ではなく、金利・配当を支払う側に立つという愚行を何年もつづけているのだろうか。この問題を突き詰めていくと、国民の貯蓄の大半を利権として既得権益団体にばら撒いている、とんでもない利権大国の実態が浮かび上がってくる。

中国経済は、民間企業と国有企業の2本立てで成り立っている。どちらも定款を読めば、事業活動を通じて利益をあげることを目的として設立された組織ということになっている。だが「中国の国有企業は収益最大化を目指す営利団体だ」と考えること自体が間違いだ。

中国の国有企業群は、中国共産党の私設銀行である中央銀行、中国人民銀行の指令のもと、国民から吸い上げた貯蓄を国有銀行群経由で利権としてばら撒くために設立された組織なのだ。ちなみに中国共産党は、直接共産党の看板を掲げないほうがつごうがいい傘下の諸団体には「人民」と名乗らせている。人民解放軍しかり、人民日報しかりだ。ようするに大手ブランドのセカンド・ブランドのようなものだ。

中央銀行がじつは国家機関ではなく、私企業であるという点では、諸外国の中央銀行と比べても、まあ五十歩百歩だ。だが設立の経緯に応じて優先課題も変わってくる。

諸外国の中央銀行は、銀行・金融業界の共通利益を守るために設立された私企業だ。金融政策を通じて、金融業界に有利な方向に国民経済を誘導しようとする。

しかし中国人民銀行の最優先課題は、国民経済をどう銀行業界に有利に導くかには置かれていない。中国共産党の私設銀行としては当然のことながら、中国共産党の一党独裁をどう維持するかに置かれている。

記者時代に『愛国経済　中国の全球化』（２００８年、朝日選書）を書いた吉岡桂子朝日新聞編集委員は、人民銀行発祥の地を探訪してこんなエピソードを伝えている。

最初の中国人民銀行は……河北省の省都、石家荘に建てられた。……河北省文物局に電話をしながら探し当てた場所は、「熱海歌劇団」やら「金浴田洗浴センター」という看板がかけられた青灰色の3階建てのビルで、……あまり品のよい建物ではない。

……不安になって近くの国有銀行、中国銀行支店の行員にたずねると、「そうよ、あそこがもともと人民銀行だったのよ。もうずいぶん前に改装して娯楽施設になったわ。惜しいけど、仕方ないわね」と教えてくれた。

文物局にもう一度、問い合わせると「その場所は娯楽施設になっている。今も所有権は軍隊にある。文物局に所有権を移す予定はないので、（歴史をたどるような）陳列物はない。外から見るしかないね」との回答だった。

（同書60～61ページ）

共産党の直轄でさえなく、人民解放軍が食料などの物資を現地調達する際に使う軍票の印刷所程度の位置づけだったのかもしれない。これが中国の中央銀行発祥の地だと誇れるようなものは、何ひとつないのだろう。なお吉岡は、いかにも朝日新聞記者らしく「品のいい建物ではない」と婉曲な表現をしている。だが、ほぼ確実に人民解放軍直営の、日本ならファッションヘルスとかソープランドとか呼ばれるタイプの施設だ。現代の人民解放軍はそこまでだらけきった組織なのだ。

党員数たかだか8000万～9000万人の中国共産党が、今なお14億人の人民を支配している。この一党独裁体制の維持については、人民解放軍の武力や、中国共産党中央委員会機関紙『人民日報』をはじめとする国有メディアの宣伝力も大いに貢献している。

だが最大の力となっているのは、国有銀行・国有企業を通じて利権を分配するネットワークなのだ。利権は国有企業経営陣にとどまらず、従業員や系列企業、取引先にまで及んでいる。広範な受益者たちが「この利権を守るために一党独裁の存続が必要だ」と感じているからこそ、こんな体制が維持されてきたのだ。

中国人民銀行とは対照的に、中国の大手銀行は大半が形式的には上場された民間企業の体裁を取っている。だが実質的には相互持ち合いで、国有のまま運営されているのは、すぐ前の引用中に「国有銀行、中国銀行」とあるとおりだ。

中国の大手国有銀行群は、中国工商銀行、中国農業銀行、中国銀行、中国建設銀行に交通銀行が入ったり、入らなかったりで、4大とも5大とも数えられる。5行で中国銀行業界総資産の37%を占めている。共産党の私設銀行、人民銀行の指導のもと、利権分配機構である国有企業に自行の預金の大部分を低金利で融資している。

営利団体として見れば、国有企業はとんでもなく非効率

だからこそ国有企業の大部分は、総資産こそ大きいが収益は微々たるもの、あるいは万年赤字でも存続が許されている。こうした万年低収益で、たびたび赤字も出している国有企業には、経営基盤を安定させせなければいけないなどという認識はまったくない。どれぐ

中国国有企業のすさまじい非効率性
1979～99年

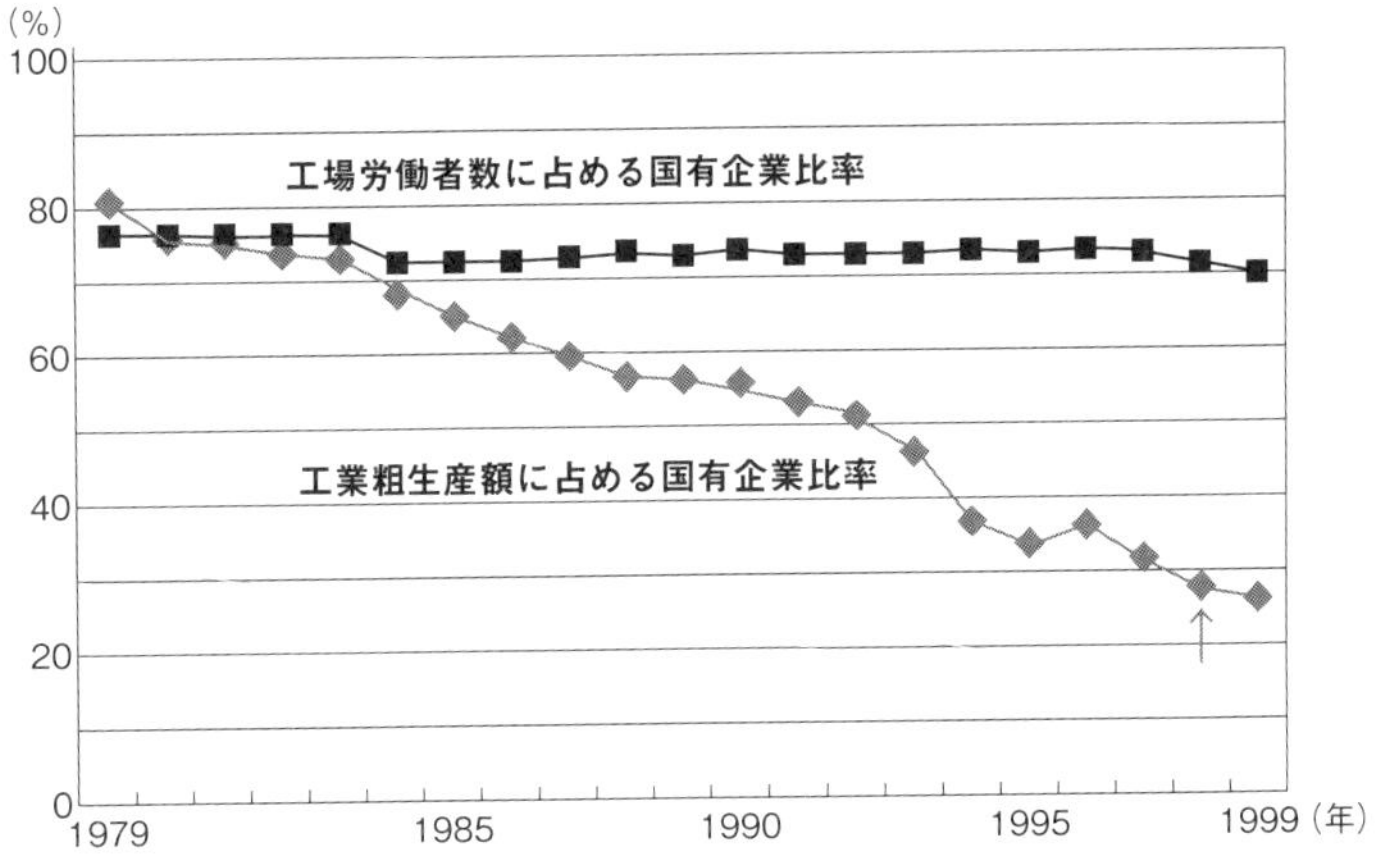

原資料：『中国統計年鑑』各年版
出所：大西広・矢野剛編『中国経済の数量分析』(2003年、世界思想社)、30ページより引用

らい非効率かを端的に示すグラフがある。

　１９７９年は文化大革命の混迷からやっと抜け出し、鄧小平が陣頭指揮をとった改革開放路線が緒についた年だった。その１９７９年から１９９９年までの国有企業について、製造業全体に占める従業員シェアと生産高シェアを対比したグラフだ。

　ご覧のとおり、最初の1年だけは製造業従業員の約78パーセントを雇っていて、生産高は80パーセントと、国有企業のほうがほんのわずかだが労働生産性が高かった。ただ１９７９年でさえ、国有企業のほうが巨額の資金を投じて大規模な資本設備を使っていたはずだから、全要素生産性では民間企業のほうが高かっただろう。

　１９８０年は従業員数も生産高も78～79

パーセントで、官民の労働生産性はほぼ互角だった。だが１９８１年以降は一貫して民間企業のほうが労働生産性は高く、しかも差は拡大の一途をたどった。このグラフで最後の年に当たる１９９９年には、国有企業は製造業従業員の70パーセントを雇っていながら、生産高はわずか28パーセントに過ぎなかった。一方、民間企業は30パーセントの従業員で72パーセントの生産高を達成していた。

つまり民間企業の労働生産性は製造業全体の平均値の２・４倍で、国有企業の労働生産性は０・４倍だった。民間の労働生産性は国有の６倍に達していたわけだ。１９８０〜90年代というと、改革開放路線が軌道に乗って、中国経済の成長率が飛躍的に高まっていた時期だ。その時期に、製造業を営む国有企業は成長に寄与するどころか、延々と成長の足を引っ張りつづけていた。

「こんなに古いデータを持ち出されても困る。はるかに豊かになった現代中国では国有企業の生産性だって、もっと上がっているはずだ」とおっしゃる方もいるに違いない。そこで、まったく同じ指標をアップデートしたものではないが、最近の中国経済について官民の生産性の差を比較したグラフで検討してみよう。

こちらは製造業だけではなく、全産業での比較だ。左側から見ていこう。まず従業員数は全体の44パーセントから20パーセントへと急激に絞りこまれた。ただ冗員を整理するこ

中国国有企業の不思議な構造
2002〜2014年

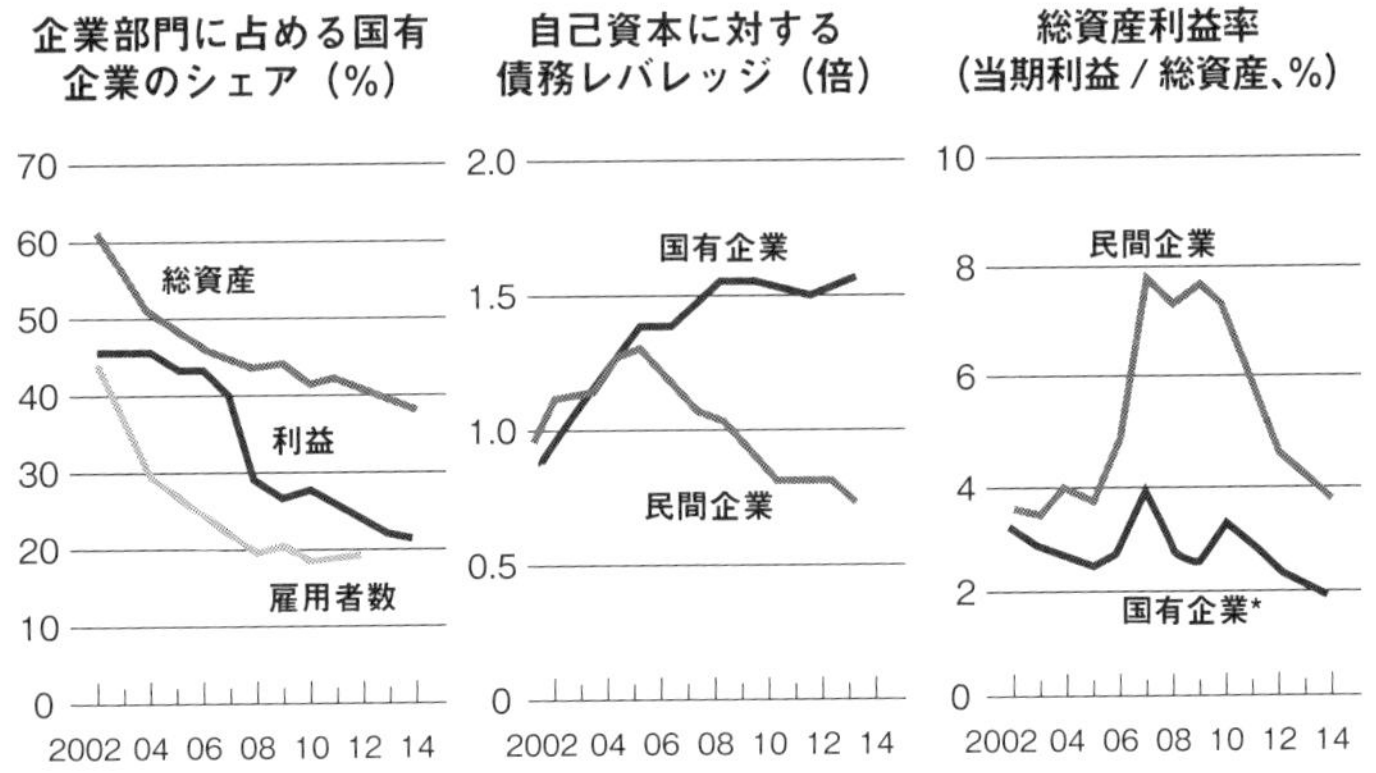

*地方自治体政府の出資企業をのぞく。
原資料：CEIC、国家統計局、WIND社、IMFのデータをEconomist誌スタッフが作図
出所：ウェブ版『The Economist』、2017年9月17日のエントリーより引用

とで利益率が向上した気配はなく、産業全体の利益中のシェアも45パーセントから20パーセントへと下がっている。

国有企業の人員が減ったというより、中国経済全体の高成長によって急速に企業規模が拡大し、企業数も増えた中で、国有企業従業員の全産業従業員に占めるシェアが低下しただけのようだ。

もっと問題なのは、全産業の総資産に占めるシェアが60パーセント強から40パーセント弱に下がっただけだという事実だ。つまり全企業資産の40パーセント近い資産を使いながら、20パーセントの利益しかあげていない。一方の民間企業は全資産の60パーセント強を使って80パーセントの利益をあげている。このグラフから導き出せる国有企業の総資産利益率は、民間企業の4割弱となる。

右側のグラフに眼を転ずると、2014年の民間企業の総資産利益率が約4パーセントに対して、国有企業は約2パーセントとなっている。左のグラフから得た結論よりは若干マシだ。ただ、このグラフの国有企業は、地方自治体（省・自治区・直轄市、県、市、郷・鎮）出資企業をのぞいているので、その分だけよくなっているのだろう。それにしても総資産利益率がわずか2パーセントというのはふつうの国なら、銀行は怖くて融資をためらう水準だ。

その国有企業に融資が集中する

この3枚組みグラフの中で最大の問題点が露呈しているのが、まん中の国有企業と民間企業の自己資本に対する債務の比率（レバレッジ、あるいはギアリング）の推移を示すグラフだ。自己資本だけに頼らず、債務を負って使える資金量を増やすのは、利益率の高い企業にとって比較的かんたんに業績を改善する魔法の杖だ。

総資産利益率が安定して5パーセントの企業があったとしよう。全然借り入れをせずに事業をやっていれば、自己資本に対する利益率も同じく5パーセントとなる。だが、もしこの企業が金利3パーセントで自己資本と同額の借り入れをして総資産を2倍にすれば、自己資本利益率は大幅に上昇する。

総資産利益率は変わらず5パーセントだ。しかし総資産のうち半分の借り入れは、3パーセントの利子を払うだけで済む。だから自己資本に対する利益率は自己資本分の5パーセントと、借り入れで調達した資金に対する金利を支払ったあとの2パーセントを合わせて、7パーセントに上がることになる。

同じように自己資本の2倍の借り入れで事業をすれば、自己資本利益率は9パーセントに上がる。なぜ、どんどんレバレッジを高める企業が出てこないかというと、総資産利益率が下がったときが怖いからだ。レバレッジの高い企業の総資産利益率が下がると、自己資本利益率が低くなったり、赤字になったりしてしまう。

このグラフどおりに総資産利益率2パーセントの国有企業が3パーセントの金利で、100万元の自己資本の1・5倍の借り入れを使って事業をおこなっていたとしよう。

総資産250万元に対する利益は5万元だが、150万元の借り入れに対する金利を4万5000元負担しなければならない。だから自己資本利益率は100万元に対する5000元で、0・5パーセントに下がってしまう。

というわけで中国の国有企業の大半は、借り入れなどせずに自己資本だけで事業をやっていたほうが収益最大化という目的にかなう。これほど低水準の利益率で事業を展開しているのである。

総資産利益率が約4パーセントの民間企業は、債務を自己資本の75パーセントにとどめて、やや保守的とさえ言えるコンパクトなバランスシートで活動を展開している。だが総資産利益率がその半分の2パーセントに過ぎない国有企業のほうは、自己資本の1・5倍もの債務を負っている。

国有企業のほうが民間企業よりレバレッジが高いのは、収益最大化とは違う目的で動いているからだ。どんな目的だろうか。系列企業や下請け企業においしい仕事を回したり、もっと端的に役員や経理担当者が着服したりするためといったことが考えられる。

利益率の高い企業には喜んで融資をするが、低い企業には融資できないのが、ふつうの国の銀行業界だ。経済合理性にそって動けば、必ずそうなる。しかし、このグラフを見ると、中国の銀行業界は「企業がきちんと利払いをしながら元本を返済できるかどうか」とはまったく違う基準で融資をしている。

中国の民間企業は一貫して国有企業の2倍以上の総資産利益率をあげてきた。だから安全確実に金利収入を得ることが目的なら、当然民間企業への融資を増やし、国有企業への融資を絞りこむべきだ。

それなのに2005年ごろまでは、ほぼ同じように融資を増やしていた。2006年以降になると、もっとひどい。国有企業への融資を増やし、民間企業への融資を減らすという、経済合理性とは正反対の行動をしている。理由としては、中国人民銀行が銀行業界全体に対して国有企業優先で融資をしろと指導していることも大きい。

だが、もうひとつの理由もありそうだ。それは銀行に必ず存在する与信担当部署の人間にとって、そのほうが得になることだ。与信担当とは、融資を受けたいと言ってきた企業の信用度を調べ、この程度の金額なら貸せるとか、これは貸せないとか判断する部署のことだ。

民間企業は営利事業としてやっているので、採算を度外視したワイロを捻出することはできない。一方、採算を度外視した事業活動をしている国有企業は、民間企業より派手に銀行の与信担当者に裏金をばら撒くこともできる。どうしても国内貯蓄というかたちで集めた融資用の資金は、ほとんどが国有銀行経由で国有企業に流れてしまう。

銀行は、利益率を無視して国有企業に貸しこみつづけている。国有企業は低利で莫大な融資を受けながら、金食い虫のようなプロジェクトに次から次に着手して自社の従業員や系列企業、取引先にたっぷり利権を分配しながら、のうのうと生き延びている。そして融資した銀行の債権放棄では間に合わないほど経営が危なくなれば、国家や省・自治区の予算で救済されている。

民間企業の成長のための原資をどうまかなうのか

この利権分配システムが健在なかぎり、共産党一党独裁体制は安泰かもしれない。問題は、経済成長のための民間企業の投資をどうまかなうかだ。国有銀行が国民から預金として集めた資金を少しずつ好採算の民間企業優先の融資にシフトしていくという、一見順当な手段は使えない。銀行と国有企業のあいだに強固な贈収賄のネットワークが確立されているからだ。

国有企業への融資担当部署と、民間企業への融資担当部署にわけなければ、いつまで経っても銀行からの融資は民間企業には流れないだろう。だが同じ銀行の中で国有企業融資部と民間企業融資部が競争したら、勝負にならない。

どんどん民間企業優先に融資対象が変わってしまうだろう。そうすると潤沢に利権が回らなくなった国有企業群は、共産党一党独裁体制を維持するために働いてくれなくなってしまう。

逆に国有企業向けに一定の融資枠を守りながら、それ以外の資金は民間企業向けにすることならできそうだ。ところが実際には、これもうまくいかない。国有企業経営陣は、自分たちの存在が共産党一党独裁体制の維持にいかに重要か知っている。だからこそ国有銀行からの融資は際限なくむさぼろうとする。

中国企業による輸出入は、中国政府100パーセント出資の中国輸出入銀行に一元管理されている。だから個別企業の判断でドル建ての輸出代金を持ちつづけて必要に応じて自社の資金需要を満たすために使うことはできない仕組みになっている。

そこで中国政府・人民銀行首脳が考えついたのが、欧米諸国から貿易黒字で得た外貨を、人民元に替えずに米ドルのまま海外に滞留させることだった。というよりは、こういう工夫をするために輸出入にともなう外貨取引を一元管理していると言うほうが正確だろう。

具体的な方法はふたつある。

ひとつは米国短期債を買っておくことだ。これは米ドルが人民元に対して暴落でもしないかぎり、比較的安全だ。だが実質ばかりか名目でさえ、ゼロ金利とか、マイナス金利が定着してしまう低金利時代には、滞留期間が長期化するほど実質では元本が目減りする不都合がともなう。

もうひとつはユーロダラーとして持って、そのときどきに高金利や高配当が見こめそうな金融商品に投資することだ。こちらは当然、投資対象そのもののリスクと、為替リスクがつきまとう。

ユーロダラーとは、なんらかの理由でアメリカに還流せず、アメリカ国外にとどまっているドルのことだ。世界各国の金利や景気、インフレ率に敏感に反応して動く。昔は「産油国の石油成り金が運用しているペトロ（オイル）ダラー」とか、「チューリッヒの小鬼が運用している資金」とか言っていた。正体不明の怪しげな資金という印象が強かったのだろう。

実際にはアメリカ企業が海外で稼いだカネを本国に送らずに、海外の事業拠点やタックスヘイブン（租税回避地）に置いている分が大きいようだ。アメリカの事業法人は、海外で得た収益をほとんど本国に送らない。

なぜか。本国に送れば金額に応じた税率で法人所得税が課されるが、海外に置いておくかぎり海外投資に充当したと見なされて、無税で持ちつづけることができるからだ。

アメリカ政府は、たまに自国の企業が海外で稼いだ利益の里帰りを促進するために、海外から送られてきた利益に対する法人税率を下げたりする。決して免税になるわけではないが、その年は海外現地法人からの還流利益がどっと国内に戻る。

中国製造業成長の資金源、ユーロダラーシステムは崩壊していた

経済全体がサービス化し、製造業でもハードウェアよりソフトコンテンツが重要になった21世紀の世界経済では、投資のための待機資金は慢性的にだぶついている。その中で、まだまだ重厚長大型製造業での設備投資が活発な中国の民間企業は、ほぼ慢性的に資金需給がタイトで旺盛な資金需要を持っている。

そこでどういうことが起きるか？　ユーロダラーの供給量が大きいときには、中国の民間製造業各社が積極的な設備投資や増産をおこない、世界的に景気が上向く。逆にユーロダラーの供給量が少なくなると、中国製造業が冷えこんで世界的に景気も悪化するというわけだ。この資金循環メカニズムは、アルハンブラ投資パートナーズという投資顧問会社の一連のリサーチがみごとに解明している。

我々は、２００７～08年の国際金融危機のどん底は２００８年の秋ごろだったと思いこみがちだ。だが国際金融市場の資金循環をどう維持するかという視点から見れば、クライマックスが起きたのは２００７年８月という早い時期だった。このときユーロダラーシステムが崩壊した。

中国工業生産高成長率
1998年7月～2018年7月

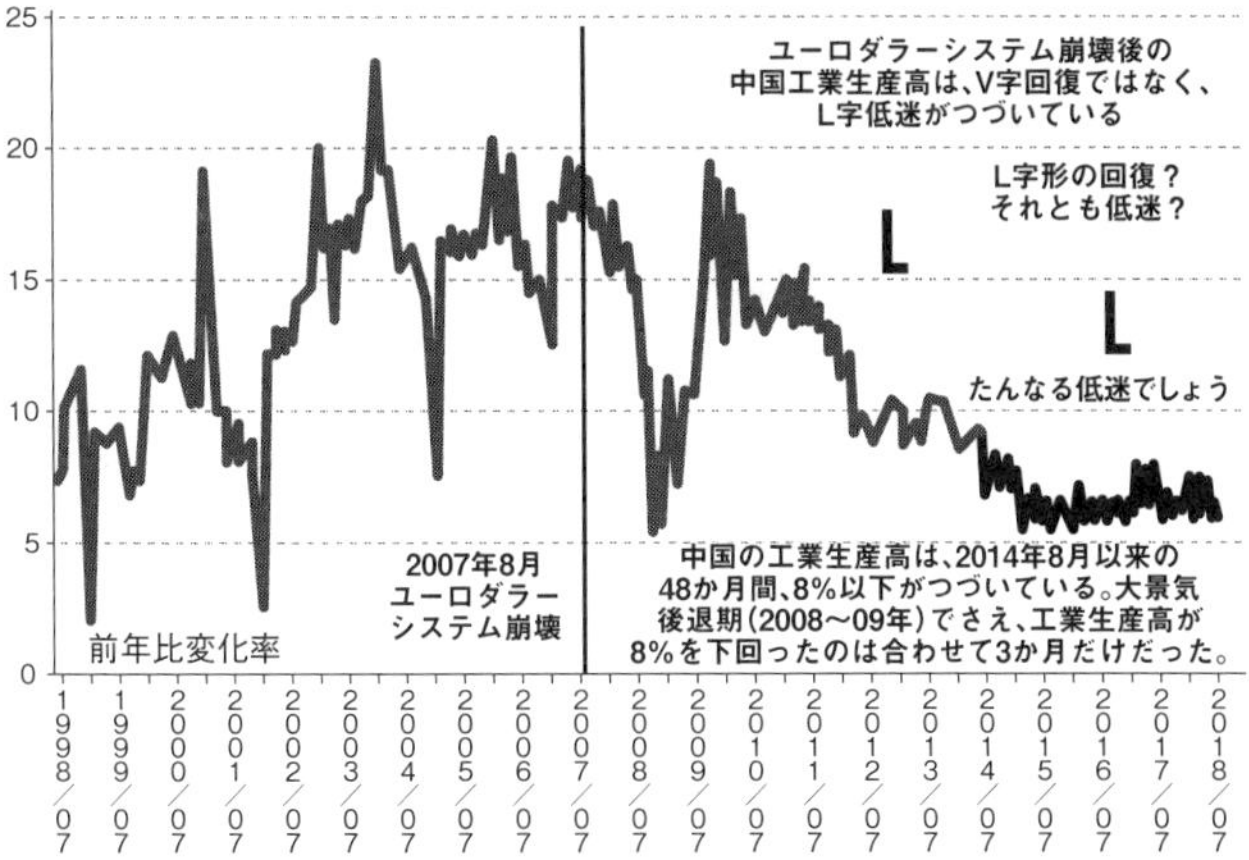
ユーロダラーシステム崩壊後の
中国工業生産高は、V字回復ではなく、
L字低迷がつづいている
L字形の回復？
それとも低迷？
L
L
たんなる低迷でしょう
2007年8月
ユーロダラー
システム崩壊
中国の工業生産高は、2014年8月以来の
48か月間、8%以下がつづいている。大景気
後退期（2008～09年）でさえ、工業生産高が
8%を下回ったのは合わせて3か月だけだった。
前年比変化率
25
20
15
10
5
0
1998/07
1999/07
2000/07
2001/07
2002/07
2003/07
2004/07
2005/07
2006/07
2007/07
2008/07
2009/07
2010/07
2011/07
2012/07
2013/07
2014/07
2015/07
2016/07
2017/07
2018/07

出所：ウェブサイト『Alhambra Investment Partners』、2018年8月14日のエントリーより引用

その後も修復できていない。だからユーロダラーシステムはひんぱんに目詰まりを起こし、２０１１年、２０１５年、２０１７年と米国債市場への資金逃避が起きている。そのたびに中国の工業生産高成長率は落ちこむ。それだけではなく、落ちこんだまま横ばいになるだけで、ユーロダラー出資金がショートするたびに、工業生産高の潜在成長性自体が下がっているのだ。

工業生産高は、中国経済成長の牽引車だったはずだ。その工業生産高がＧＤＰより先に８パーセントでも７パーセントでもなく、６パーセント台を死守することが目標となってしまっていた。そのときの中国政府・人民銀行首脳部の対応がまた、珍妙だった。

ユーロダラーの借り入れを増やして民間設

中国設備投資成長率：国有企業対民間企業
2012年1月～2018年7月

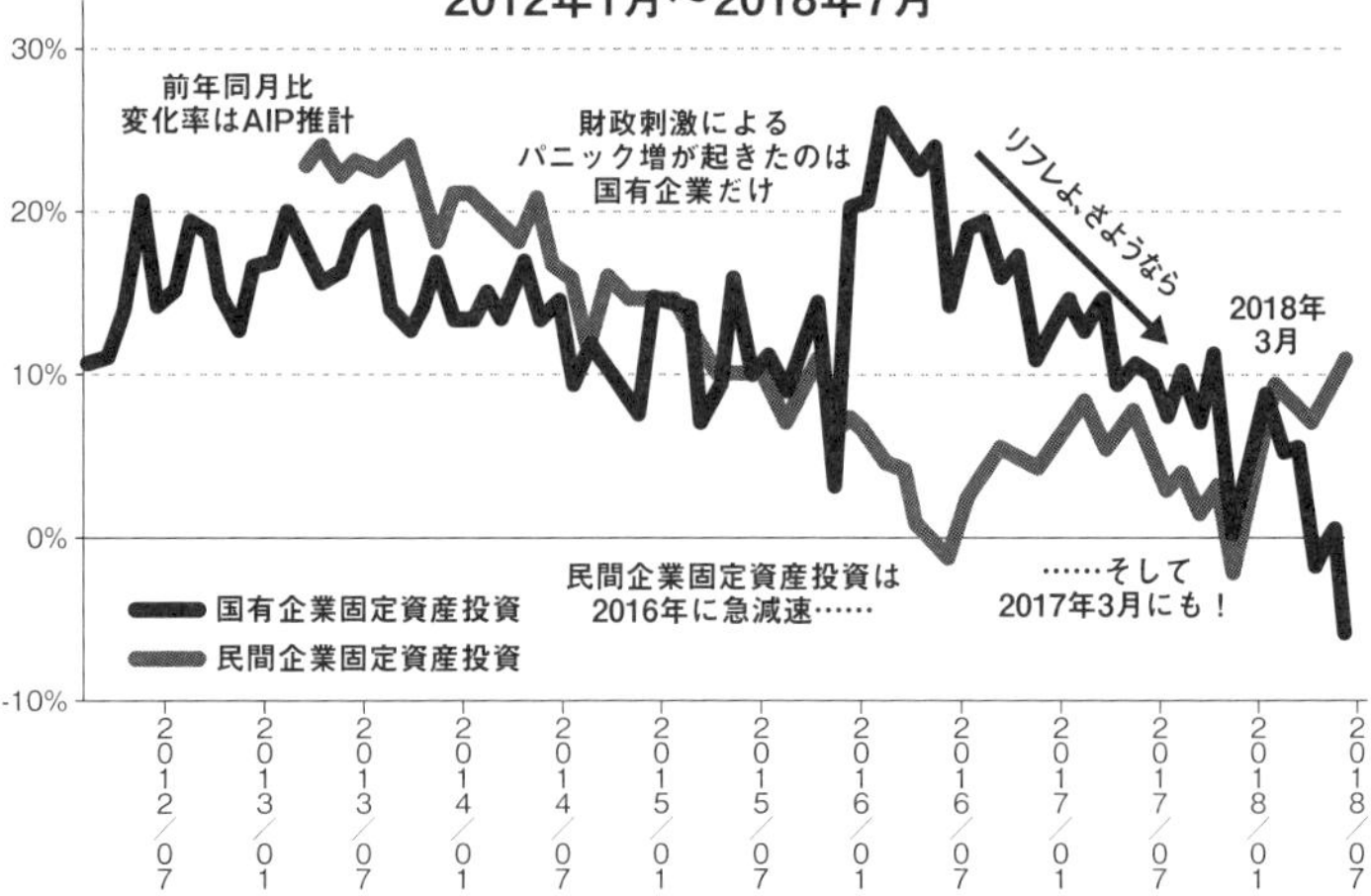

出所：ウェブサイト『Alhambra Investment Partners』、2018年8月14日のエントリーより引用

備投資を活性化するという常套手段が使えないので、国有企業に設備投資の急拡大を命じたのだ。国有銀行には「国有企業の中でも比較的効率のいい会社を選んで融資をしろ」とか、国有企業経営者には「今度だけは、なんとか収益の返ってくるような投資をしろ」とか、嚙んで含めるように説得したに違いない。だが結果は上のグラフが描くとおり、惨憺たるものだった。

ご覧のとおり、民間企業の設備投資がユーロダラー不足で急降下すると、国有企業の設備投資をものすごい勢いで拡大しても、ほとんど意味がないのだ。すぐ前のグラフでご覧いただいたように、工業生産高成長率は、ぴくりとも加速しなかった。GDPも小売売上高も同様だった。

国有銀行だって、効率が悪い企業よりはよい企業に貸したかったに違いない。だが、そのための準備や訓練はできていなかった。国有企業経営者だって、投下資本に対する収益は高いほうがいいと思っていただろう。ただ、それは経営陣、従業員、系列企業、取引先への利権分配という、自社にとって最大の存在意義を果たした上で余力があればベースの話だ。

中国政府・人民銀行は国内貯蓄を効率の悪い国有企業優先で貸すという大浪費を延々とやっているせいか、獲得した外貨については比較的慎重なスタンスを取っている。だからユーロダラー市場で貸し手に回ることはほとんどなく、圧倒的に多額の手元資金を米国短期債購入に回しているはずだ。

こうして中国が購入した米国債代金の一部を、民間企業が米ドル建ての債券を発行して借り戻したり、海外投資家の直接投資を受けたりして、還流させている。そうやって成長のための原資を確保するわけだ。

どちらにしてもマイナスはある。それでも人民元に替えてしまったら、国内の既得権益集団にほぼ全額利権として吸い上げられてしまう。それに比べれば、大きな回り道にはなっても、自国内の民間企業が成長するための原資になるだけマシだ。もともと金利も取らずに貸しておいたカネの一部を高い金利や配当を払って借り戻すのは、さぞかししゃくにさわるだろうが。

というわけで潤沢な待機資金を持っているはずの中国では、民間企業がドル建て債を発行して資金を募集したり、ドルによる直接投資を受け入れたりして、高い金利や配当を負担しながら、なんとか資金需要を満たしている。これなら中国内の銀行業界は関与できないので、利権集団に巻き上げられてしまうことはない。

もちろん、国内で資金を循環させればまったく必要がないはずの、金利や配当を他国に支払う必要は出てくる。しかしこれで、毎年巨額の経常黒字を獲得し、家計部門の貯蓄率も高い国なのに、民間企業が事業の維持拡大のために必要な資金を確保できなくて成長に支障をきたす事態は避けられる。

巨大化した民間企業の総合金融業化は共産党独裁体制の危機

巨額の対外債権を持っている中国が、巨額の対外債務を負っているアメリカに対して、金利・配当のやり取りを意味する（金融）所得収支では黒字（収入超過）ではなく赤字（支出超過）になるという資金循環が定着している。

国内貯蓄は国有銀行網を通じて利権として分配する。民間企業の成長原資は、海外に滞留させておいた貿易黒字を預かっている海外金融業者からドル建てのまま民間企業に投融資してもらうというかたちで、「投資」用資金が振り分けられているのだ。

この振り分けは、中国共産党にとって一党独裁体制を維持しようとするかぎり、絶対に守らなくてはいけない一線となっている。潤沢な利権のばら撒きなしには、手足となって党の方針を実現してくれる連中が動かなくなる。一党独裁体制に対する国民の不満をなだめるには、民間企業中心の経済成長を鈍化させるわけにはいかない。利権ばら撒きをつづけながら、民間企業主導の経済成長を維持したければ、それ以外の解決策はないのだ。

半面、国内銀行システム全体が低採算、不採算の国有企業向けに極度に傾いた融資スタンスになっている。これは新興勢力が銀行業務に進出するための非常に大きなインセンティブとなる。

国内に好採算・高成長の民間企業向け融資に特化した銀行が出現すれば、その銀行もまた好採算・高成長を維持できるのは確実だからだ。そして共産党幹部は、この好収益・高成長が約束された民間企業向け融資を中核業務とする国内銀行の誕生を極度に恐れている。その神経質な虎の尾を踏んでしまったのが、アリババ集団の総帥ジャック・マーだった。

中国の金融当局には、ジャック・マーのアント集団を総合金融業者に育てようという野望がわかっていただろう。だとすれば、アント集団の上場まで10日あまりという2020

年10月24日に、中国金融業界の旧体質を正面切って批判してしまったジャック・マーは、あまりにも軽率だったとも思える。

だが、ほんとうにそれだけのことだろうか。当時の政治情勢を思い出していただきたい。アメリカ大統領選も追いこみに入っていた。一般の世論調査などではバイデン優勢とされていたが、賭け（ベッティング）のプロの中には、「トランプが驚異的な得票数で圧勝する」と予想する人もいた。

2020年米大統領選最大の争点は、中国経済に対するスタンスだった。トランプは、中国企業の米国株式市場上場廃止や対中投融資の絞りこみといった金融面での強硬姿勢を貫いていた。

中国経済を金融で締め上げれば、アメリカの金融業界の業績はかなり悪化するだろう。だがアメリカ企業の製造拠点が、多少なりとも中国から自国に戻ってくるかもしれない。2016年の大統領選では金融業界からほとんど献金を受けずに当選した自分にとって、そのほうが支持層を固める効果があるとソロバンを弾いていたのだろう。

国際金融の細々《こまごま》した数値などは知らなかっただろう。また共産党が一党独裁にしがみついているかぎり、アメリカ金融業界にとって自分からネギをしょって食卓に上ってくれるカモでありつづける仕組みなどには興味もなかったかもしれない。

ただ民主党リベラル派から共和党保守本流まで、アメリカ政界がこぞって中国共産党一党独裁擁護に回る中で、アメリカ庶民の利益を代弁できるのは自分だけだという直観は持っていた。そして、その直観は事態の本質を見抜いていた。

一方、バイデンは、アメリカ金融業界にとって大きなカネづるである中国企業への投融資絞りこみを容認できる立場ではなかった。銀行・証券・投資顧問・保険といった伝統的な金融業者はどちらかと言えば、共和党保守本流支持者が多い。ヘッジファンドは、共和党支持者と民主党支持者がほぼ互角だ。

しかし中国企業ほどの上得意客を逃してはならないという点で一致団結し、中国との商売を維持するために過去に前例を見ないほど結束してバイデンに巨額献金を集中させていた。そして人気で圧倒的に劣勢なバイデンは、金融業界のカネの力に頼らざるを得ない情勢だった。

ジャック・マー叩きはバイデン政権誕生と直結した動き

ジャック・マーは10月中旬の段階で、かなり信頼のできる筋から「トランプのリードは、ちゃちな選挙不正では挽回できないほど大きい」という情報を得ていたのではないだろうか。

「もしトランプ政権が今後4年間つづくとすれば、中国政府としてはトランプによる中国経済潰しを正当化するような行動は取れないだろう。新しい総合金融業者としてのアント集団の上場を土壇場で阻止するような荒技は絶対できないはずだ……」と安心して、長年鬱積していた中国金融業界の旧体質への憤懣を本気でぶちまけてしまったのかもしれない。

ところが中国時間の11月2日未明、アメリカ時間では1日夕方に、今度はバイデン陣営から中国政府に情報が入った。「トランプ再選はどんな手を使ってでも阻止する。大手メディア、SNS（ソーシャル・ネットワーキング・サービス）だけでなく、連邦最高裁まで味方につけているから、大騒動にはならない。統制に従わない目障りな企業を潰した程度のことで、あなた方のような大事なお客様を粗略に扱うことはない」といった内容だった。

こうしてバイデン政権誕生とともに、中国政府による「目障りなハイテク企業」に対する大弾圧が始まった。2021年4月初旬、アリババ集団は独占禁止法に反する商慣行をくり返していたとして、18億2000万元（約3000億円）の罰金を科された。被害をこうむるのがアリババ・アントグループにとどまっていたうちは高みの見物を決めこんでいたテンセント（騰訊）やバイドゥ（百度）にも、火の手が及びそうな気配濃厚だ。

料理宅配業者の美団とグルメサイトの大衆点評が合併した美団（美団点評）は、その後テンセント傘下に入った。この美団も、独占禁止法違反の疑いで取り調べを受けている。嫌疑は独禁法違反だが、2021年5月初めに美団CEOの王興が秦の始皇帝を風刺した漢詩のパロディをSNSに投稿したのが、習近平独裁化への批判に神経質になっている当局を刺激したのだと言われている。実際には、香港市場としては史上最高額の100億ドルを新株と転換社債の発行で調達しようとしたことが、金融当局の逆鱗《げきりん》に触れたのだろう。

独禁法違反に対する罰金は、アリババに課した罰金と同程度の巨額になるのではないかと言われている。だが、すでに当局に譴責《けんせき》されたというだけで、美団の株価は急落し、時価総額が390億香港ドル弱（約5500億円）も減少している。これもまた中国銀行業界の旧体質への反逆だからこそ、政府当局はきびしい罰則で臨んでいるのだ。

ジャック・マーなどの問題児たちをふくめて、現代中国を象徴する何人かの人物像については第4章で詳述しよう。

国内貯蓄を利権分配で使い果たし、民間企業の成長は海外からの投融資に頼るという中国政府の路線を変更しないかぎり、経済成長のカギはアメリカ金融業界に握られたままの状態がつづく。永遠に政権を失うまいとする中国共産党幹部にとって、それは払う価値のあるコストなのだろう。

アメリカ金融資本にとって、育ち盛りで大きな資金需要のある中国の新興企業が政治的な弾圧で潰されるのは、歓迎できない事態だろうか。むしろインターネット各分野のガリバー型寡占（寡占業者の中でも圧倒的なシェアを持った首位企業）である、アマゾンやグーグルやフェイスブックの地位を脅かすような企業に育たないうちに潰してもらったほうがありがたいと思っているのではないだろうか。

それにしても「世界の労働者、農民、中小零細企業家を結集して、欧米巨大資本に挑む」ことを標榜する中国共産党政府が、じつはアメリカ金融資本にとっていちばん確実に大きな儲けを貢いでくれる買弁政権だったというのは、なんとも皮肉な成り行きに見える。買弁とは清朝末期から国民党政権時代にかけて、欧米列強の銀行や商社の中国進出の手先として働いた中国人商人のことで、多分に売国奴的なニュアンスがこめられている。

だが、そんな印象も、社会主義とか資本主義とかの表向きの看板を真に受けているかぎりでのことだ。実際には中国もアメリカも政治・経済・社会全般にわたって、あらゆる現象がすべて利権によって動いている。アメリカと中国は瓜ふたつの利権大国なのだ。その点は章を改めて書いていこう。

第2章

ワイロがすべて——東の利権超大国中国

際限なく広がるワイロの輪

利権が資金循環を支配する社会は、とてつもなく経済効率が悪い。たとえば、こんな事実がある。中国で国有企業の正社員に採用されるのは、中国でいう「鉄椀飯」、つまり一生食うに困らない収入を得ることを意味する。鉄椀飯の威光は、次に引用する戯れ歌がよく伝えている。

鉄の茶碗（鉄椀飯——引用者注）　金に替えるのもったいない
なくなるはずなく　壊れもしない
一度手にすりゃ　衣食住も心配不要
さぼろうと何しようと同じこと　毎日三回食べられる
……
同じことさ　落伍と先導
同じことさ　誠実と嘘
一緒に大きな釜の飯食べて
社会主義食べ尽くしてハイそれまでよ

（南雲智『中国「戯れ歌」ウォッチング』２０００年、論創社、１４６ページ）

まあ、最近やっとあまりにも乱脈経営が過ぎる国有企業は、潰れても仕方がないと政府の方針も変わったが。ただ存続を許されている国有企業の社員は、勤続中の賃金も退職してからの年金も民間企業より格段に高いことは変わっていない。

当然、中国の若い人たちはできることなら国有企業に就職しようとする。そのため国有企業の採用担当者に巨額のワイロを贈るのは、ごく当たり前の就職活動となっている。いや、就職活動というよりは、ひところ日本でも流行った一括払い養老年金を買うような感覚だろう。

だが国有企業は、だれが採用担当者かを公表していない。そこで内部事情にくわしい人から採用担当者を教えてもらえた志願者は、かなり高額のワイロを人事担当者と消息通に贈っても、採用後の賃金と年金でかなりの高配当を受け取ることができる。

採用担当者以外に高額のワイロを贈っても「私には権限がありません」と返してもらえるわけはない。たいていは「精一杯努力します」とワイロだけ取られて、なんの効果もないことになる。まったくの無駄ガネに終わっても「返せ」と交渉できないし、警察に訴えることもできない。

平然と受け取って何もしない側にも、言い分はある。権限のないことに対するワイロを律儀に返すような人間は、社内で出世もできない。「あいつは高い地位に就いたら、不正をやっている人間を一斉に追い落とそうとする野心家かもしれない」と疑われるからだ。

一事が万事この調子で、いったん一生懸命に働かなくても高収入を保証される利権グループが出現すると、そのグループにもぐりこむためのワイロ、そのワイロをだれに贈ればいいのかを教えてもらうためのワイロと、際限なくワイロの輪が広がっていく。

その実情は、以下に引用するとおりだ。

中央規律検査委員会書記を務めていた呉官正・前政治局常務委員によれば「地方の省・市の幹部の九〇％はすでに腐敗・堕落しており、少なくとも八〇％の幹部が汚職に塗《まみ》れており、その職に就くのはふさわしくない」と述べている。

（湯浅誠『中国のとことん「無法無天」な世界』2011年、ウェッジ、168〜169ページ）

この贈収賄体質が国民にとってどれほど大きな負担になっているかを、高速道路建設ブーム期を例にとってご紹介しよう。

中国軍事学院出版社元社長で学者の辛子陵大佐によれば、「国は一キロメートル当たり平均一億二〇〇〇万元強の建設費を支払ったが、実際に建設に要した額は七〇〇〇万元で、差額の三二〇〇万元は高級幹部たちの懐に入った。建設された高速道路は一万六〇〇〇キロメートルあったので、高級幹部たちは五一二〇億元を略取したことに

なる」という（『人民網』二〇一〇年、二月二三日）。（同書169〜170ページ）

前に引用した呉官正は、実際に政治局常務委員で中央規律検査委員会の書記をしていたことが確認できる人物だ。また後の引用は、出所が中国共産党中央委員会機関紙『人民日報』の出版社が運営しているウェブサイト『人民網』であることも重要だ。中国政府でさえ「地方の」という限定付きではあるが、政府や党の幹部のあいだに腐敗・堕落が蔓延し、贈収賄が日常化していることを認めているのだ。

中国はどうやって「本源的蓄積」を達成したのか

ところで読者の皆さんは鄧小平の改革開放路線のもと劇的な経済発展を遂げた中国の「成長の原資」はどこから来ていたのか、疑問に思われたことはないだろうか。第二次世界大戦直後には、アメリカをのぞくほとんどの先進国の生産設備が壊滅状態にあり、急速な復興なしには国民生活に多大の障害が出てくる状態だった。

日本企業はこの環境にすなおに順応して、大手から中小企業まで大胆に債務のレバレッジをかけて急成長を達成した。戦後高度成長期の経済評論家と言うより、経済漫談家と言ったほうがしっくりする邱永漢が「日本経済は借金コンクリート造りだから強い」と喝破したとおりだ。しかも日本の個人世帯は食うにも困るほどの貧窮の中でけっこう貯蓄もし、企業の株も買っていたので、国内に成長の原資があった。その原資が高度成長を支えていた。

しかし中国経済は1949年まで国共内戦がつづいたので、世界経済のいちばんダイナミックな復興期に後れをとった。さらにその後も、おずおずと市場経済メカニズムを取り入れようとするたびに人民公社＝大躍進運動とか、文化大革命＝紅衛兵運動とかの「左翼」バネが強烈に働いて、統制経済に引き戻されてしまっていた。

というわけで鄧小平路線は定着しても、中国内には投資すべき資金のいわゆる「本源的蓄積」がほとんどなかった。成長過程にある企業は、さぞ資金繰りに苦労していただろうと推定できる。それではどこから成長の原資を捻出していたのか。一見しただけなら、保守的な財務戦略を推奨する教科書どおりの模範解答を書く優等生のような資金繰りをしていた。

ほぼ一貫して自己資金が投資資金全体の60パーセント以上を占め、じわじわ上昇していた。国内金融機関からの借り入れは、15〜30パーセントに収まっていた。国家予算を配分してもらう資金は、約30パーセントの高さから次第に下落をつづけていて2010年段階では5〜6パーセントに減っていた。外資は1990年代半ばに2ケタに乗せたこともあ

中国の各種投資資金が全体に占める割合推移
1981〜2010年

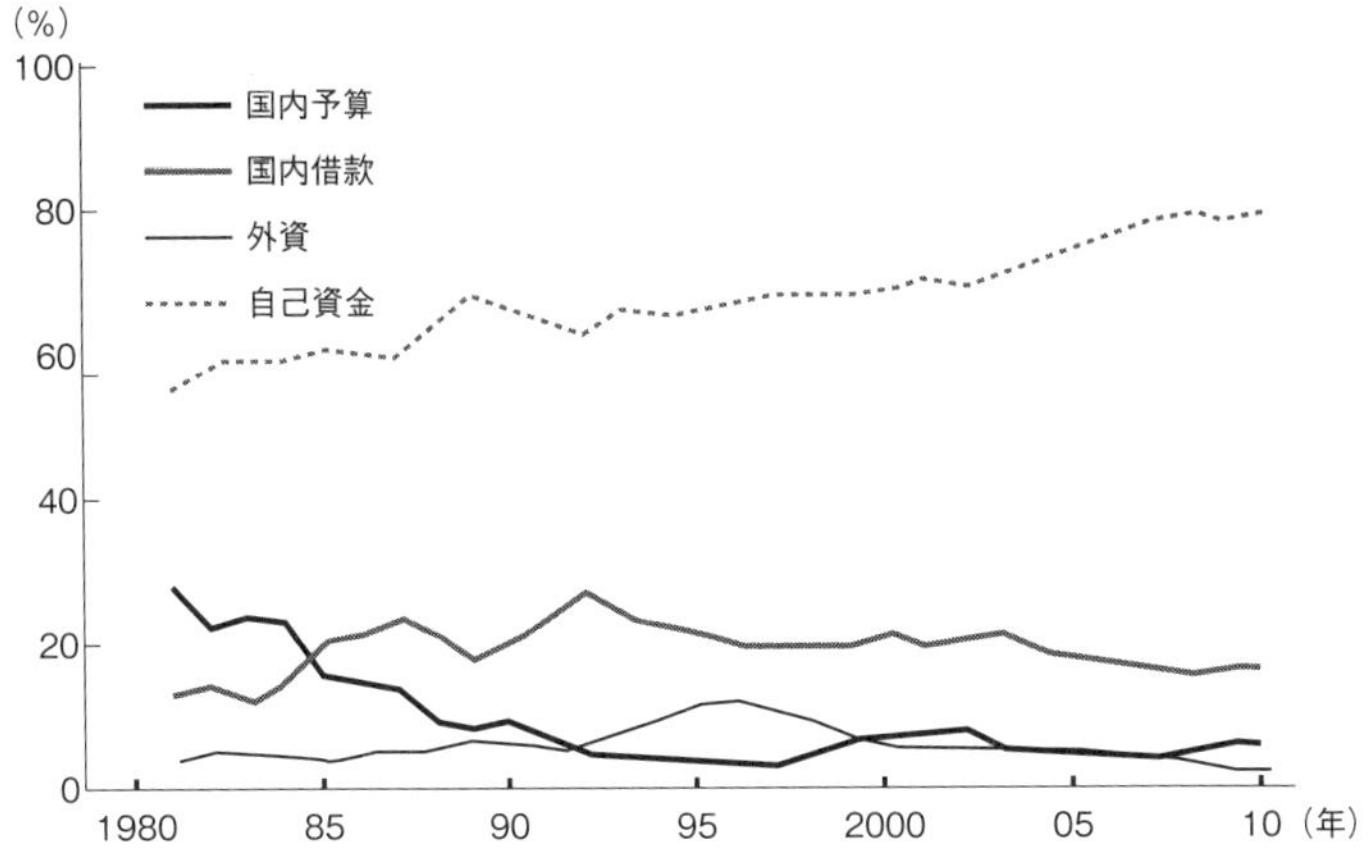

原資料：『中国統計年鑑』のデータより川島博之が算出
出所：川島博之『データで読み解く中国経済　やがて中国の失速がはじまる』（2012年、東洋経済新報社）、158ページより引用

ったが、だいたい2〜6パーセントにとどまっていた。

ただ最後の外資については、ひとこと注釈が必要だろう。これはあくまで中国企業の投資資金の内訳だ。20世紀末から急速に存在感を増してきた外資系企業の中国現地工場などでは、もちろん外資系投資家や金融機関からの投融資に頼る比率がずっと高いだろう。

それにしても中国企業は驚くほど健全な財務体質を保ちながら成長してきたことになる。犠牲者数が数百万人とも一千万人以上とも推定されている文化大革命直後の混乱と窮乏の中で、いったいどうやってこんなに堅実に自己資金を蓄積できたのだろうか。

土地の錬金術

かんたんに答えるなら、土地転売益という錬金術だ。具体的には、地方政府管轄下の土地開発公社がわずかばかりの立ち退き料で強制的に住民を排除した土地に、住宅団地、商業施設、工場団地などを開発する。開発後の開発益・転売益は地方政府と建設業者・不動産業者のあいだで分け合うことになる。

日本で、いやおそらく世界中どこでも、少しでも建設・不動産業界と関わりを持ったことのある人なら、「ははあ、こりゃワイロの温床になるわけだ」と合点がいくだろう。この問題についてかなりくわしくデータを調べた川島博之は『データで読み解く中国経済』(2012年、東洋経済新報社)の中で、こう書いている。

土地開発公社は地方政府の管轄下にあり、そして地方政府は共産党の指導下にある。農民から取り上げた土地を誰にどのような価格で売るかを決めるのは、極端に言えば、各地区の書記の一存である。そうであるなら、土地を有利な条件で手に入れようと思う者は、それ相応の賄賂を共産党幹部に贈らざるを得ないだろう。

……書記に睨まれれば、大規模な土地開発において土地の使用権の入手どころか、造成事業の末端に参加することも難しいだろう。
（同書181ページ）

共産党政権が地場の建設業者、不動産業者やときには中央財界の大物とも結託して、あっさり土地の錬金術を演じのけたのには、秘密がある。中国には土地の私有権が存在せず、全国土が国有だという事実だ。個人も企業も期限のついた利用権は持っているが、所有権は持っていない。

その利用権の期限も、期間内なら安心して利用をつづけられる保証があるわけではない。最長でもこの期限が過ぎたらお国に返却しなければならないし、お国のほうは期限前に取り上げることもできる。それぐらい政府に有利で、個人や企業に不利な利用権なのだ。

中国の企業にとって、土地利用権はいったいどの程度の期間有効かさえわからないので、毎年の損益計算にもコストとして数え入れることができない。当然のことながら、その土地から上がる収益を金利で割り引いて土地価格を算出することもできない。中空に浮かんだような概念なので、「地価」はいくらだと言っても、それなりの理屈はつけられる。

錬金術の成果は省・自治区・直轄市ごとの域内総生産に対して、べらぼうに高い地価となってあらわれている。

中国の「土地価格」は、いつお国に召し上げられても文句を言えない利用権に過ぎない。それにしてはあまりにも高い。

中国都市部の省・自治区・直轄市別地価総額

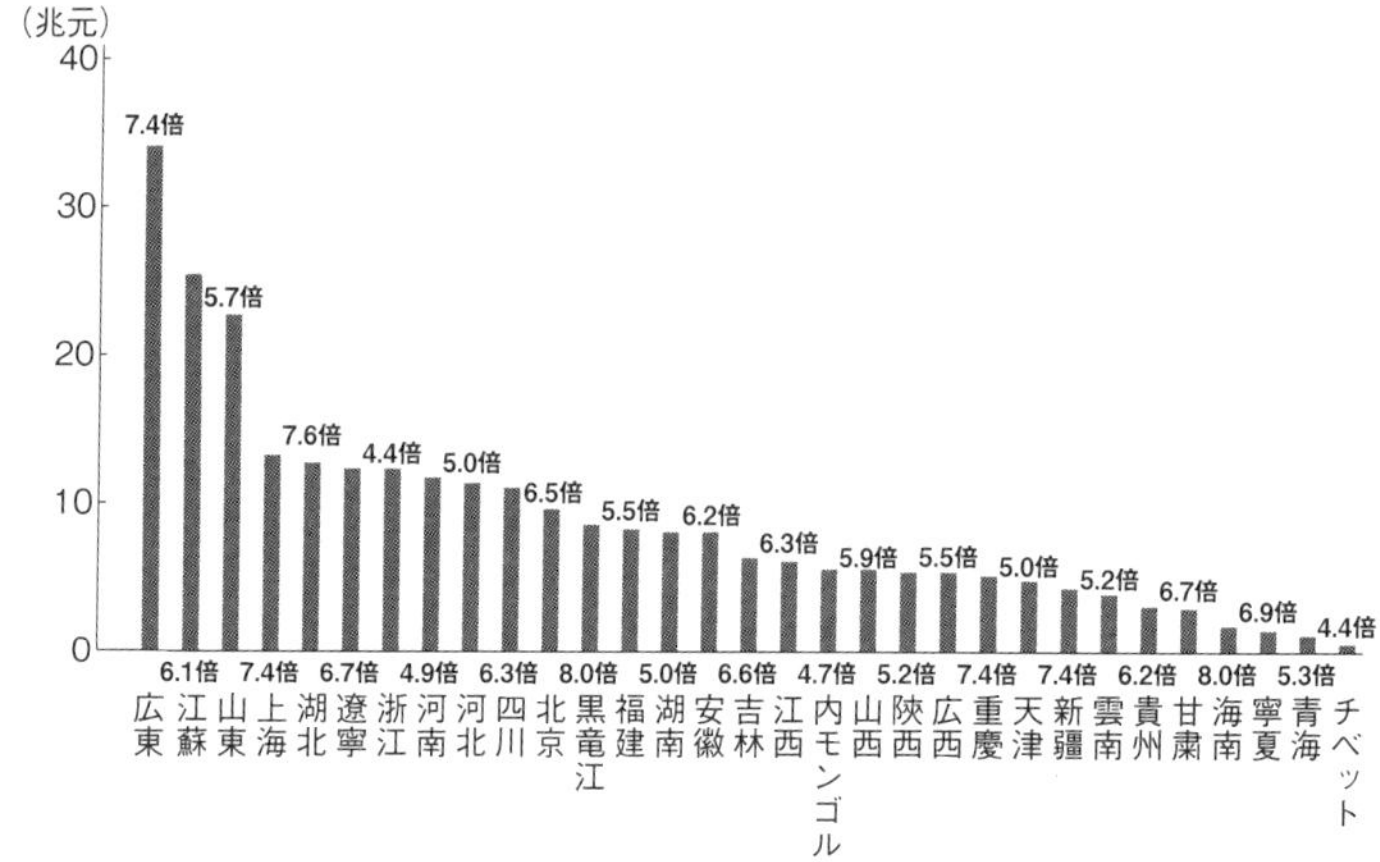

原資料:『中国統計年鑑　2011年版』のデータより川島博之が算出、棒上下の対域内総生産倍率は、同書204ページの表から引用者が補足
出所：川島博之『データで読み解く中国経済　やがて中国の失速がはじまる』（2012年、東洋経済新報社）、205ページより引用

川島も言及しているが、バブル期ピークの日本の地価総額は、当時のＧＤＰの約４・４倍だった。皮肉にもこの倍率は２０１０年前後の中国で言えば、省・自治区・直轄市別で最低の水準だ。今なお奥地の印象があるチベット族自治区と、逆にシビアな交渉力で名高い浙江商人のおひざ元浙江省だけがこれほど「低い倍率」にとどまっている。全国平均では６・１倍だ。

断続的に観光資源開発をはやして値上がりする海南省の８・０倍はわかる気もする。だが石炭産業が斜陽化してからなかなか経済発展が軌道に乗らない黒竜江省まで８・０倍だ。じつに価値の不確かな商品である土地の価格がここまで引っ張り上げられ、その過程で何十万人かの地域の共産党幹部、何万社かの不動産業者、建設業者の懐を潤していたのだ。

中国経済が自由競争の市場経済ではあり得ない理由

経済活動に必要な生産要素の中で、ほんとうに代えが利かないものはほとんどない。そして代えが利かないものの大部分が、だれでも一銭も払わずにいくらでも使える自由財(free goods)になっている。空気中の酸素、太陽光、河川湖沼の水など、今までほぼ無尽蔵に存在していたからだ。

ところが土地だけは、同じ場所にはたったひとつしか存在しない上に、どこにあるか次第でまったく価値が違う。だから適切な価格をつけなければ、絶対に資源の浪費につながる。適切な価格をつけるには、だれか、あるいはどこかの企業が排他的な所有権を持っていて、その所有権者が納得できる価格を探るしかない。

この土地私有概念の欠如こそ、中国経済がほんものの自由市場経済にはなれないし、発展の可能性にも限界がある最大の理由だと、小宮隆太郎をはじめとする硬派の中国観察者の多くが指摘している。土地ほど重要な生産要素の価格が適切に決められていないのだから、ほかのありとあらゆるモノやサービスの価格だって、投入されたさまざまな生産要素の価値を適正に反映しているわけがない。

　こうして共産党幹部とコネのない人間からは情け容赦なくぼったくり、コネのある人間にはおいしい思いをさせてやる「商取引」が延々とくり返される。改革開放路線に転換してから40年以上を経た今でも、この大枠は変わらない。

「いや、最近の中国経済は金融市場も発達し、株式を上場している企業も多いから、そこまで土地の錬金術頼みではないだろう」とおっしゃる方もいるだろう。だが中国では、その上場企業の株にどの程度の実体価値があるかが、なんともあやふやなのだ。

　アメリカでは、上場している企業の発行済み株数の79％が浮動株だ。日本では、この数字がかなり下がって63％になる。ただ浮動株ではなくても、たいていの場合、旧財閥系など民間企業同士の相互持ち合いであって、固定株のほとんどが国有という企業は少ない。

　ところが中国では、上場企業発行済み株数の45％しか浮動株がない。残る55％の大部分を国や地方自治体が所有している。つまり中国政府は上場株全体の過半数株主なのだ。いつでも単純多数の議決権を行使して、少数派株主たちの持ち分を強制的に買い上げることができる仕組みになっているわけだ。

　そして現在の中国経済は、とくに剣呑《けんのん》な岐路に差しかかっている。中国の銀行資産総額が過去十数年で急激に膨張し、今やアメリカの銀行資産総額の2・3倍というべらぼうな

中国とアメリカの銀行総資産推移、2001～2020年
2010年に逆転してから、差は拡大の一途

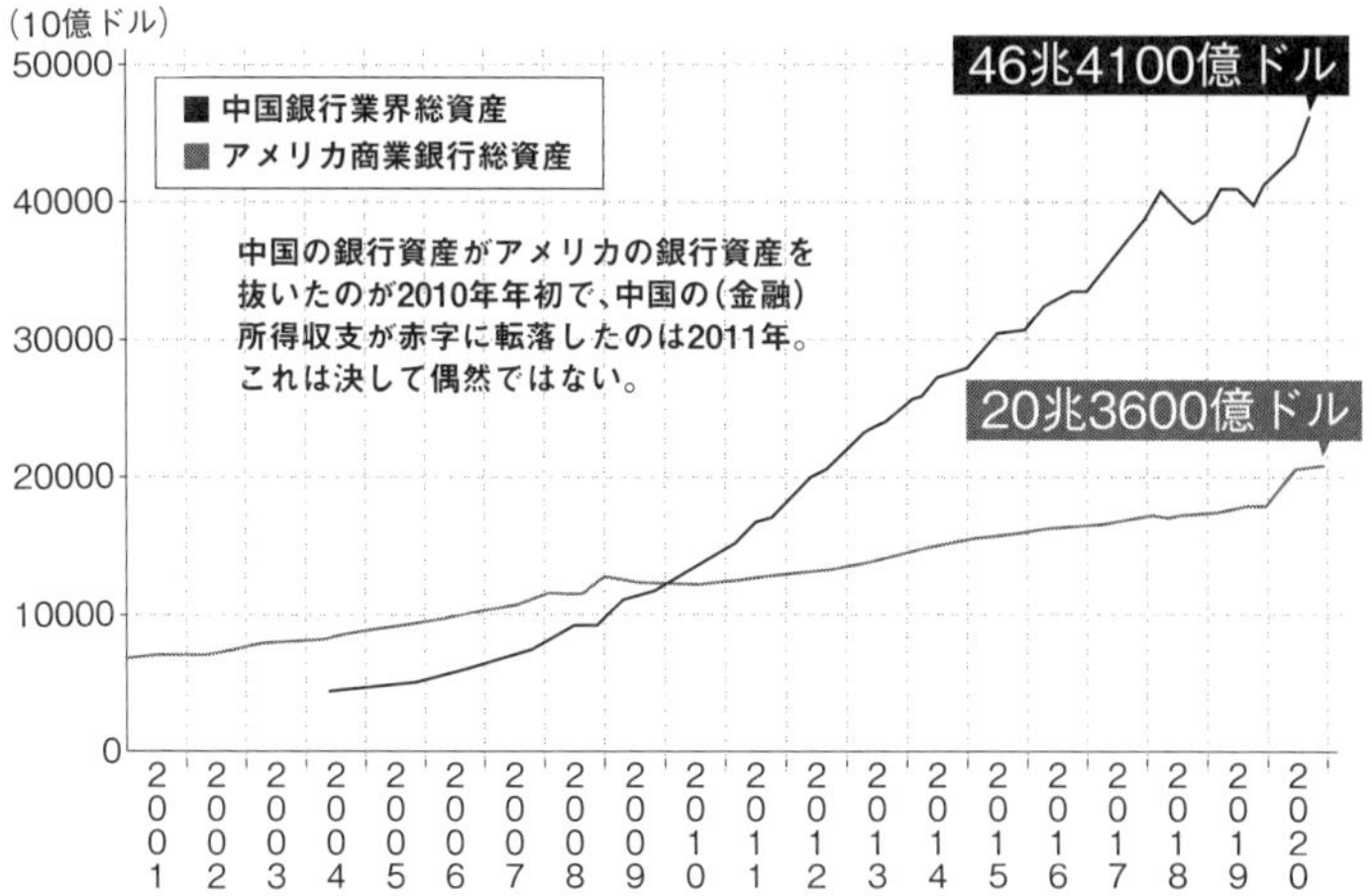

出所：ウェブサイト『Zero Hedge』、2021年1月11日のエントリーより引用

水準に達しているからだ。上のグラフは、銀行総資産の実額を示している。ＧＤＰに対する比率ではない。最近の中国では金融肥大化が大変な問題になっていることがおわかりいただけるだろう。

２０２０年末の時点でアメリカの銀行資産総額が20兆ドル強と、ほぼＧＤＰ並みだったのに対して、中国の銀行資産総額は約46兆ドルとＧＤＰの3倍を超えていた。銀行資産が増えているということは、企業や個人世帯の債務が増えているということだ。

一般論として人間でも企業でも持ちつけないカネを持つと、ついつまらない買いものをしてしまう。しかも中国経済の場合、こうした一般論よりはるかに深刻な事情を抱えている。国有でも民間でも債務の重み

中国の実質GDP成長率*推移
2000～21年　＊2020年までは実績、2021年は目標

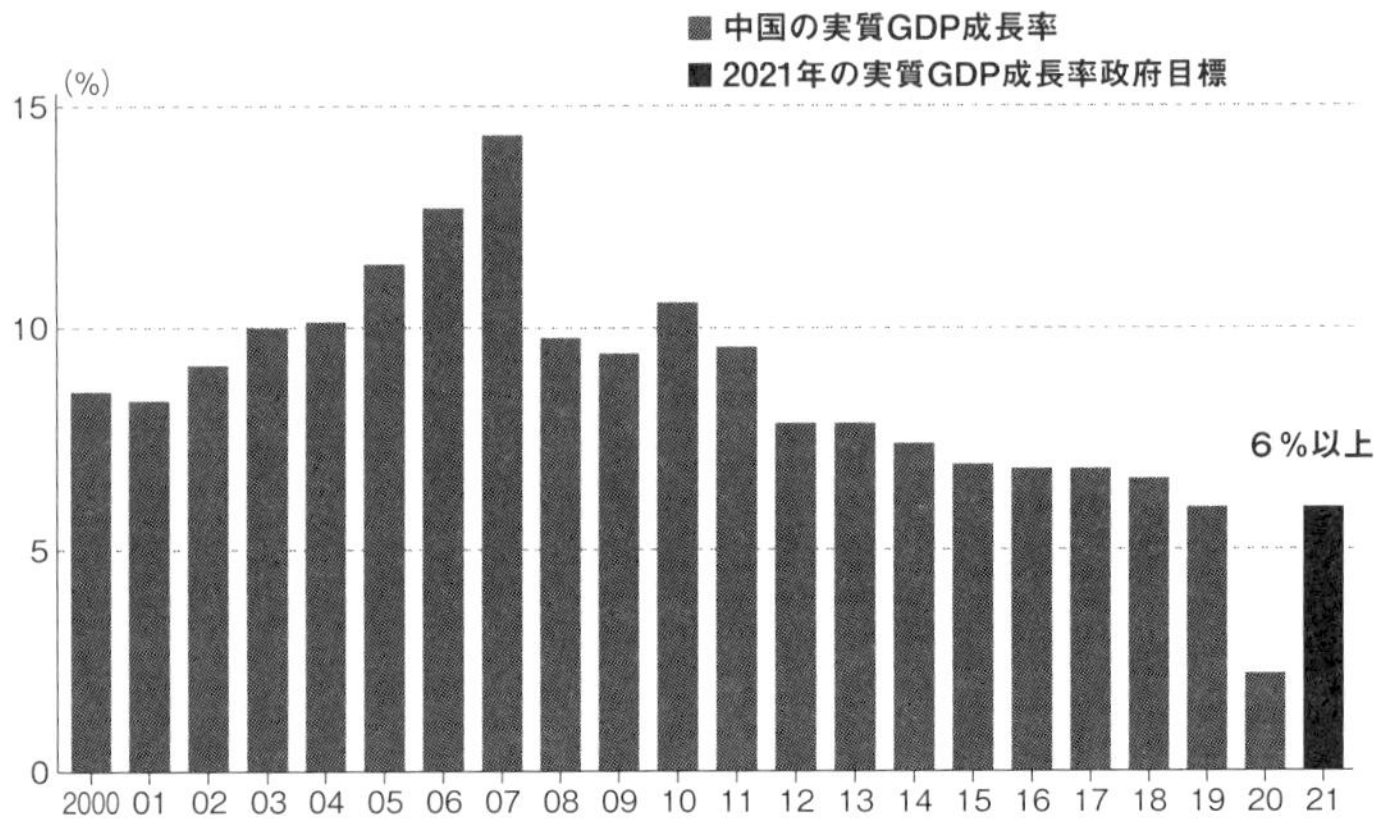

原資料：ブルームバーグ
出所：ウェブサイト『Zero Hedge』、2021年3月5日のエントリーより引用

をしっかり受けとめて事業経営をしてきた企業がほとんどないという事実だ。

国有企業は、債務は銀行が債権放棄をしてくれたり、国が救済してくれたりして自然に消えるものだと思って、放漫経営をつづけている。民間企業は、過去に元利返済の負担をずっしり感ずるほど潤沢な資金を借り入れて経営していた経験があまりない。そういう企業ばかりが集まっている国で、突然債務を急膨張させることができるようになってしまったのだ。

どちらも、いざとなれば土地の転売益で債務を消せると考えて事業展開をしている。だが実際には、債務の重荷は確実に中国企業の経営を圧迫している。その証拠が上のグラフだ。

２０００～20年の実質ＧＤＰ成長率の実績と、２０２１年の政府目標を示すグラフだ。２０１９年までは例外なく6パーセント以上を確保してきた。だが２０１１年以降は、ほぼ毎年じりじり下がりつづけている。前ページのグラフと対比すると、銀行の総資産、つまり企業や個人世帯にとっては債務が急拡大をしはじめたころから、実質ＧＤＰ成長率が低落傾向に入ったことがわかる。

中国経済は２０１１年に衰退期に入っていた

２０２０年の実績は2パーセント強と、文化大革命前後の大混乱以降なかったほどの低水準に終わった。中国ウォッチャーの中には、これだけ前年度の実績が低かったのだから、２０２１年度の政府目標はその落ちこみを取り戻すために、過去数年つづいた6パーセント台後半から7パーセント台より意欲的な数字にするだろうという観測もあった。

だが蓋を開けてみれば6パーセント台と、かなり保守的な数字になった。それだけではない。中国政府は下1ケタが1の年と6の年に、五カ年計画を発表する。その五カ年計画でつねに注目を浴びるのが、次の5年間は成長率をどの程度と想定するかという項目だ。ところが２０２１年3月に公表された第14次五カ年計画では、この重要項目が空欄になっ

顕著に低下する主要国・地域の「債務の生産効率」
2007〜09年平均対2017年〜2019年第1四半期平均

		2007〜09年平均のGDPの対債務比率 A	2017年〜2019年第1四半期平均のGDPの対債務比率 B	AからBへの変化率（%） C
1	ユーロ圏	0.44	0.38	-13.5%
2	イギリス	0.42	0.36	-14.3%
3	日本	0.32	0.27	-14.8%
4	アメリカ	0.43	0.40	-5.6%
5	中国	0.65	0.34	-38.2%
6	公開データのある全国家	0.47	0.42	-11.1%

原資料:国際決済銀行、ただし、中国については毎年GDP成長率が約2パーセンテージポイントずつ過大評価され、現在のGDP規模は約12%実勢より大きく表示されていることに鑑み、『中国国民経済計算の現場検証』（2019年3月7日、ブルッキングス研究所）によって修正されている。
出所：ウェブサイト『Mish Talk』、2019年10月17日のエントリーより引用

ていたのだ。

中国政府・共産党は債務をいくら拡大しても、実質GDP成長率が加速しないことに危機感を抱いているのは間違いない。下手な数値を発表してしまってから到達しないと、政敵による現政権批判の口実を与えることになると考えていたのではないだろうか。中国で債務を増やしても、生産拡大への寄与度は非常に低いことを統計的に示した表がある。

上に掲載したのは、日米英中の4か国とユーロ圏について2007〜09年と、2017〜19年のそれぞれ3年間の平均値で、債務総額に対してどの程度の比率でGDPを産出できていたかを比較した表だ。同じ金額の債務をしょっていたと

仮定して、各国と地域がどのぐらいのGDPを生み出せたか、つまり債務の生産効率を測る指標になっている。

もちろん、この数字が大きければ大きいほど、同じ金額の債務からより多くのGDPを生み出せる、債務の生産効率の高い経済圏ということになる。しかし、これが1を超えることは、ふつうの経済情勢では考えられない。

もし1を超えている国があったら、その国は債務を増やせば増やすほど、いくらでもGDPを成長させることができるはずだ。そんなうまい話は、あるはずがない。

だが、こんなに単純な理屈がわからない人たちもいる。「金利を下げたり、貨幣の流通量を増やしたりしてカネを借りやすくしてやれば、自動的に景気は良くなる」と信じている世界中の中央銀行がその典型だろう。

表に話を戻そう。日・英・ユーロ圏は13～14パーセント台と、ほぼ同一の効率低下を経験している。中国は38パーセントというすさまじい効率低下に見舞われた一方、アメリカはわずか5・6パーセントの効率低下に抑えている。アメリカと中国がプラス・マイナスそれぞれの方向に突出している理由は、ふたつある。

ひとつめは、アメリカ企業が借金経営に慣れているのに対して、中国企業は慣れていないことだ。同じ中国企業でも民間企業は慣れていないだけだが、国有企業には、そもそも資源を効率よく使うという発想がない。

何度赤字を出しても、そのたびに政府・人民銀行・国有銀行群に尻ぬぐいをしてもらってきた。だから自己資本にも借入金にもコストがかかるという観念がない。当然、借金という資源もうまく使いこなせない。

ふたつめは、アメリカは国民経済全体として諸外国から借りたカネから金利・配当収入を得ているのに対して、中国は諸外国に貸したカネに金利・配当を払っていることだ。この往復の差は大きい。この点については第1章で詳述しておいた。

ここで第1章でもお伝えした中国共産党一党独裁政権と、アメリカ金融業界の癒着の構造を、もう一度おさらいしておこう。

中国は、アメリカにほぼ無利子で貸したカネの一部を高い金利・配当を支払って借り戻さなければ、自国の経済成長を支える民間企業の資金需要を満たせない。アメリカ金融業界は、中国というお得意様から金利・配当収入を得ていなければ、日本やヨーロッパの同類のように斜陽産業化してしまう。

中国の諸外国に対する（金融）所得収支の赤字転落が、アメリカ金融業界にとってどれほど大きなプラスになったかを推測させてくれるのが次ページのグラフだ。

中国の（金融）所得収支が赤字に転落した2011年、アメリカ金融業界は国際金融危

21世紀に入って異常に急騰している金融業界の利益率
1964～2015年

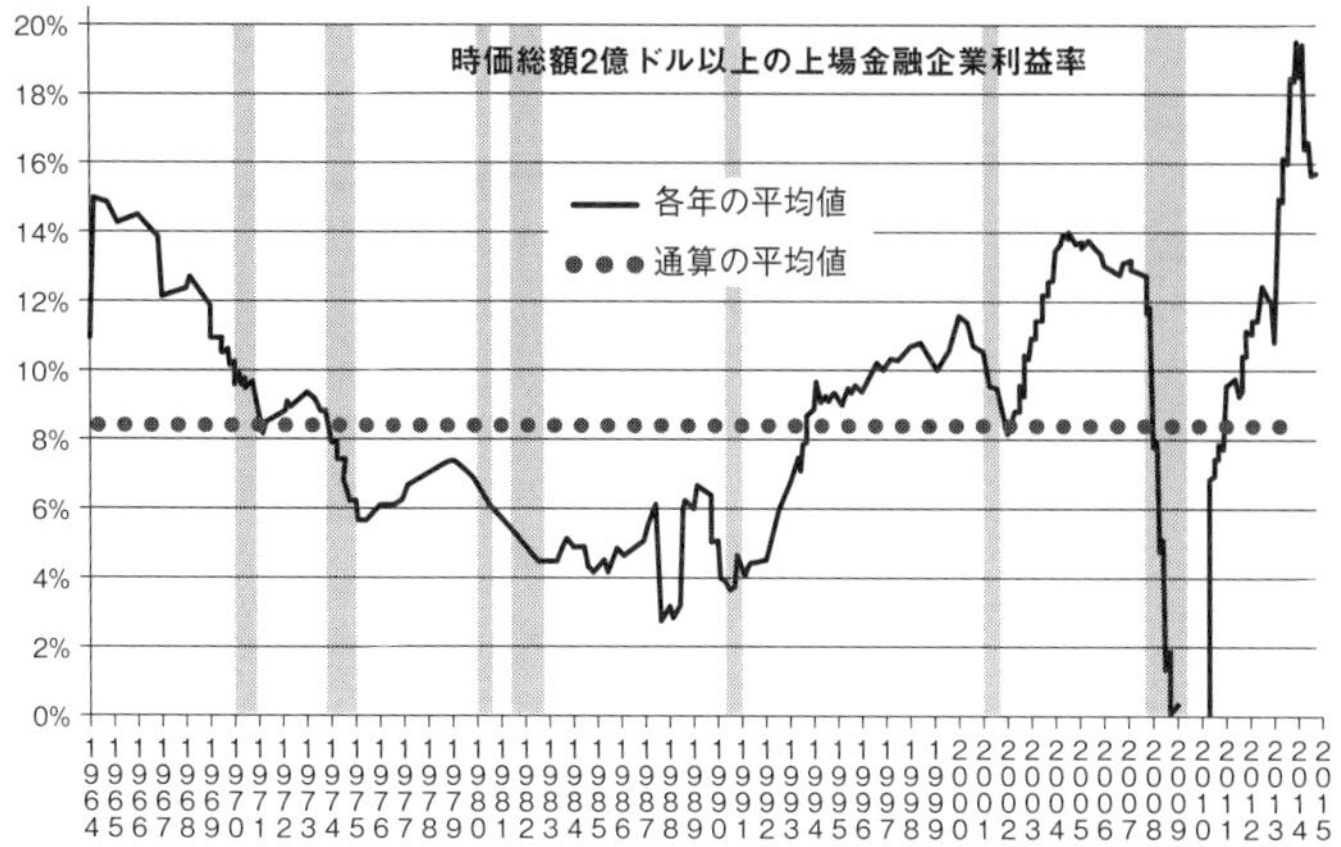

出所：ウェブサイト『Philosophical Economics』、2015年1月25日のエントリーより引用

機後の赤字を脱して、ほぼ平均値並みの利益率まで急回復した。そして中国の所得収支赤字が最大幅となった２０１３年、アメリカ金融業界の利益率は19パーセントを超えていた。

それにしても中国にとって２００７～09年と、２０１７～19年という10年を隔てた債務の生産効率の激減ぶりは大きい。この間に大きく増えた中国の企業債務は、大半が国有企業の借り入れだったと信ずべき証拠がある。

しかも中国政府・人民銀行が２０１５年に起きた株価暴落の火の手を消すために、本来であれば潰すべき国有企業に巨額の救済資金を注ぎこんでいた可能性が高いのだ。その証拠が次ページ上下二段のグラフに残っている。

まず、上段からご覧いただきたい。中国の国有企業は２０１４年夏から２０１５年夏ま

出資主体別中国企業前年同月比利益変動率比較
2012年2月～2015年6月

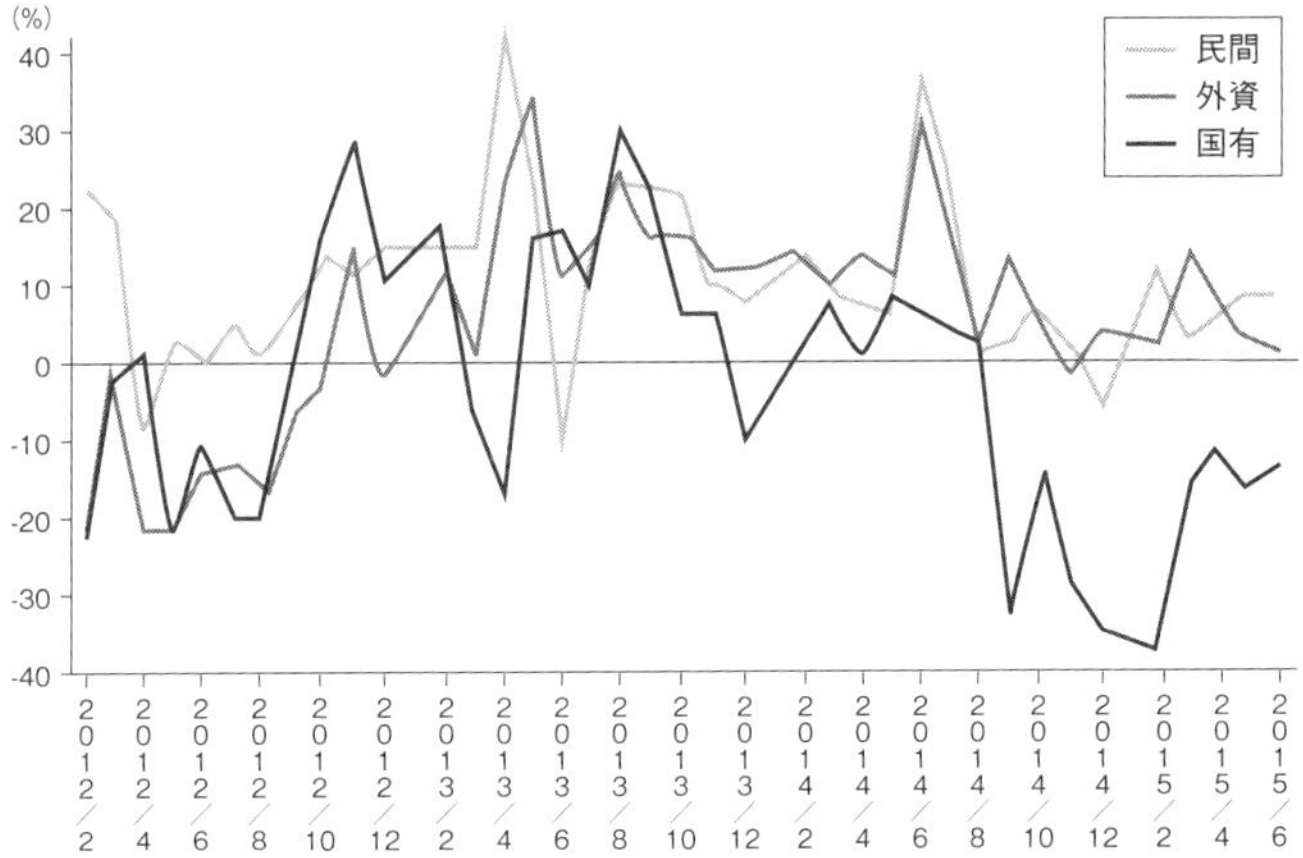

中国国有企業総債務と前月比変動幅
2014年10月～2015年9月

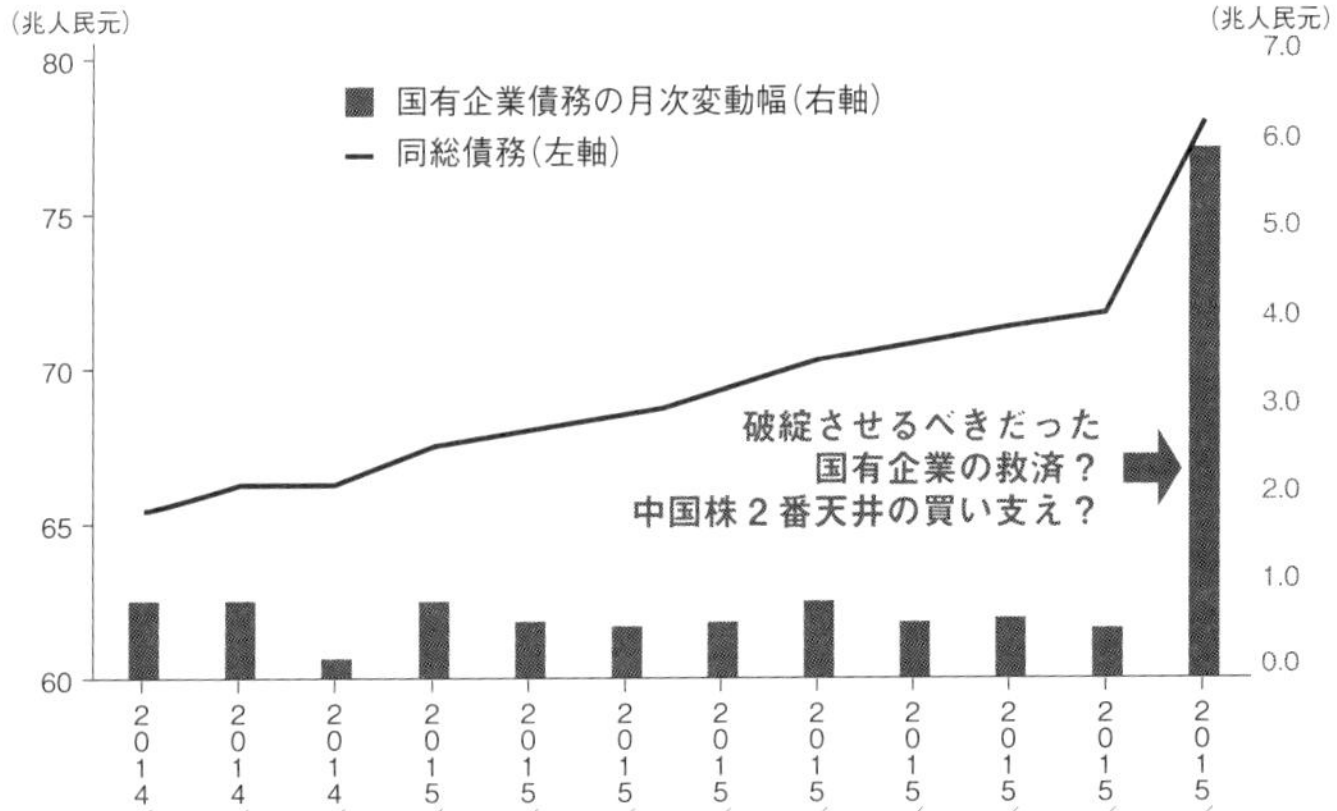

原資料：中国財務省のデータをZero Hedgeスタッフが作図
出所：(上)『Simon Rabinovitch Homepage』、2015年7月26日、(下)『Zero Hedge』、2015年11月2日のエントリーより引用

で、丸1年間利益率がマイナス20～40パーセントという、極度の不振に陥っていた。しかし、この経済実態と中国を代表する株価指数である上海深圳株価指数（ＣＳＩ３００）が示す株式市場の動きは正反対だった。

ＣＳＩ３００は２００７年に約５７００元という史上最高値をつけたあと、長期低落傾向にあった。だが間の悪いことに、ちょうど国有企業の業績がどん底に達した２０１４年末から２０１５年年初にかけて、ＣＳＩ３００のほうは２２００元から４８００元へと２倍以上の急回復を見せていたのだ。

いや、間が悪いというのは好意的すぎる見方かもしれない。中国の株式市場参加者たちは「これだけ国有企業の業績が悪化すれば、政府はどんな手を使ってでも救済してくれるに違いない。その救済による株価上昇を先取りして、ひと儲けしてやろう」と思っていた可能性もある。

中国人民銀行は国際金融の世界でアメリカの金融業界に手玉に取られつづけ、国内では２０１５年に大失態を演ずることになる。しかし、その中国人民銀行が皮肉なことに直前の２０１４年に「最優秀中央銀行賞」を受賞している。

私には悪い冗談としか思えない。だが中国人民銀行はこの冗談をけっこう真剣に名誉と受けとめていたようだ。だから、いつものように積極果敢な、つまりはむちゃくちゃな国有企業救済策に踏み切れなかったのかもしれない。

国際的な金融業界の注目度も上がっている中で、中国政府としてはすぐに露骨なゾンビ国有企業の救済策を取ることもできず、傍観していた。やっと重い腰を上げたのは、2015年9月になってからだった。

グラフの下段を見ると、中国国有企業の総債務は9月単月で6兆元近くも増え、総額で約77兆元になっていた。なんとかこれで、国有企業大量破綻はまぬかれたのだろう。だが株式市場参加者たちには、9月になってからでは遅すぎた。上海深圳株価指数は2015年6月から翌年1月までの半年強で約3分の1下がって、2800元を割りこむ大暴落となったのである。

全要素生産性が示唆する中国経済の暗い未来

2020年の中国の実質GDP成長率が、公式発表どおりにプラスだったかどうかは怪しい。ただ見てきたとおりに国内金融政策もお粗末で国際金融でも資金の出し入れが下手な中国が、少なくとも2019年まではなんとか経済成長を維持できていた。

先進諸国経済が軒並み製造業主導からサービス業主導に転換する中で、巨額の設備投資

中国・ヨーロッパ・アメリカの全要素生産性変化率
1995〜2017年

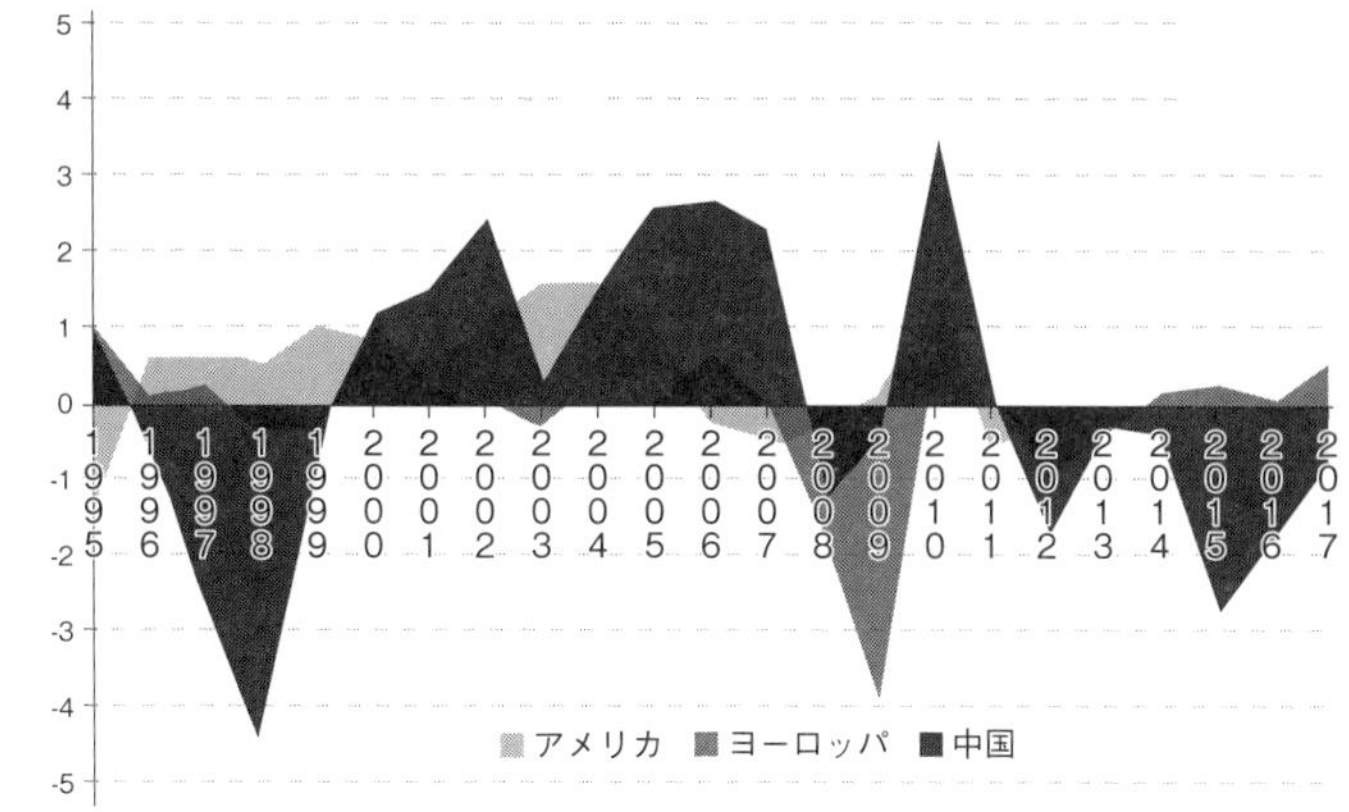

原資料：フィンランドの経済リサーチサイト『GnS Economics』
出所：ウェブサイト『Zero Hedge』、2019年2月17日のエントリーより引用

さえすれば、それなりの成長は見こめる製造業主導経済にしがみついていたからだ。

しかし今後は中国でさえ製造業の成長鈍化、衰退に直面し、いやおうなくサービス主導経済に転換しなければならないのだ。その前途が暗澹としていることは上のグラフを見るだけで明白だろう。

全要素生産性とは、労働の投入量も資本の投入総額も一定に保った上で、どの程度の成長が確保できていたかを示す概念だ。これがプラスなら、生産要素の量的拡大なしにGDPを増やすことができていたことになる。

つまり技術革新の成果が出ていたのだろうとか、社会全体に生産活動にとって好ましい変化が生じていたのだろうと結論でき

る。たとえば以下のような変化をあげることができる。

平和で犯罪の少ない社会になって、自分の仕事に安心して打ちこめる環境になった。交通機関が整備されて、渋滞や列車の遅延・運休で失われる労働時間が減った。教育の普及で、組織全体が指揮系統の指示どおりに動けるようになったといった事柄だ。

逆にこれがマイナスなら、生産活動に望ましくない変化が生じていた可能性が高い。生産性を低める技術革新とは形容矛盾だし、もしそんな「技術革新」が出てきても、採用しなければいいだけのことだ。

というわけで全要素生産性がマイナスになるのは、たんに技術革新が停滞している程度のことではない。全要素生産性の下落は、社会全体に生産インフラや生活インフラの劣化とか、教育水準の全般的な低下などの深刻な影響を及ぼす現象が起きている可能性が高いことを意味する。

こうした予備知識を持って、前ページに掲載した中国の全要素生産性推移をご覧いただきたい。東アジア通貨危機からロシア国債危機が連鎖的に起きていた1997～99年にマイナスだった以外は、2010年ごろまでほぼ一貫してプラスがつづいていた。だが中国経済全体の債務が激増し、国際（金融）所得収支が黒字から赤字に転換した2011年ごろマイナスに転じて、それ以来一貫してマイナスとなっている。

ようするに中国はもうかれこれ10年ぐらい、同じ労働量と同じ資金額を生産過程に投入していたのではGDPが徐々に減少する局面に入っていたのだ。しかも1979～2014年に実施されていた「ひとりっ子政策」の影響もあって、そろそろ労働投入量が横ばいから減少に転ずる時期にさしかかっている。

だからこそプラスのGDP成長を維持するために、企業や個人が借り入れを増やして資金投入量を拡大しつづける必要があったのだろう。だが、すでに見たとおり、中国経済が持つ債務の生産効率はわずか34パーセントなので、100元債務を増やすたびに66元返しきれない債務が溜まっていく勘定になる。

2021年5月末、中国銀行保険監督管理委員会副委員長が「世界金融バブルはまもなく崩壊する。その責任は景気過熱にもかかわらず低金利政策に固執した連邦準備制度をはじめとする先進諸国の金融当局にある」と述べた。この発言自体は、約3か月前に同委員会議長がおこなった警告そのままで、新鮮味はない。

問題は、なぜわざわざ同じ主張をくり返したのかだ。おそらく、もう国内の人民元建て社債市場は崩壊しはじめているのではないだろうか。そして元建て社債市場の崩壊で資金繰りの苦しくなった国有大企業に対する、責任逃れをしているのではないだろうか。

国有企業の大部分はとんでもなく非効率な経営をしているので、破綻が続出しても中国経済にはさしたる影響はない。ただ、一党独裁体制を支えてくれる既得権益集団に利権が回らなくなるので、政治的な混乱は深刻になりそうだ。

「中国こそ次の経済覇権国家」論者は、いったいどんな根拠があって、そう主張するのだろうか。世界最大の国民経済を目指すより、今後GDPが縮小しつづけることをどう防ぐかの議論に真剣に取り組むべき時期が来ているのではないだろうか。

じつは、こういうワイロの輪が社会全体を覆っている国は中国以外にもある。しかも金儲けが目的で政権を掌握したような独裁者が支配している新興国、発展途上国、最貧国だけではない。先進国にもちゃんと存在している。それが1946年に「ロビイング規制法」という名の贈収賄合法化法が制定されたアメリカだ。

第3章

権力買えます——西の利権超大国アメリカ

透明な利権超大国の誕生秘話

第二次世界大戦終結時のアメリカ大統領ハリー・トルーマンは、史上空前の第4期目に突入していたフランクリン・デラノ・ローズヴェルト（FDR）大統領によって、絶対に自分の地位を脅かす危険のない人間という理由で副大統領に選ばれた男だ。FDRが病死した際に副大統領の地位にいなければ、およそ大統領に就任する可能性のなかった、律儀さだけが取り柄の小心な人間だった。

そのトルーマン大統領が終戦の翌年に当たる1946年に、ほぼ最初の平時立法として成立させたのが、ロビイング規制法だ。連邦議会に登録し、四半期ごとに財務諸表を開示しているロビイスト事務所を通じてであれば、産業団体、企業、個人が政治家に献金することを正当で合法的な政治活動と認めるという、とんでもない法律だった。

「どうせ殺人を根絶することはできないのだから、政府に登録した殺し屋にカネを払ってやらせる財力のある人間には、合法的に殺人を犯すことができるようにしてやろう」というようなものだ。

私はつい最近まで、この稀代の悪法の成立経緯を誤解していた。大戦争から解放された安堵感と、まだ原爆を持っていなかったソ連はアメリカにとって深刻な脅威ではないという油断から、こんな法律によってアメリカの政治家がカネまみれで堕落しても、国家の存立にかかわるほどの弊害は出ないだろうという脳天気さで通してしまったと考えていたのだ。

ところが、この法律を通させたのは、アメリカの経済界が抱いていた1930年代大不況の再来に対する恐怖心だった。大戦のピーク時には、軍需がGDPの約3割に達するほどの巨大部門となっていたのだが、当時の財界首脳も連邦レベルの政治家たちも、戦後にこの軍需がほぼゼロになると懸念していた。

その点に関しては、ソ連の科学技術水準を過小評価していたことが、むしろ景気に関する悲観論につながっていた。「当分のあいだソ連が原爆を実用化することはできないから、アメリカの脅威にはならないので第二次大戦中に激増した軍需予算は大幅に削減されるだろう」と見ていたからだ。

当時のアメリカ経済に占める軍需の重みは、大変なものだった。GMやフォードのような自動車産業大手は、長いベルトコンベアラインを戦闘機や戦車の組み立てに供用していた。売上は自動車を造っていたころに比べてかなり下がったが、利益率ははるかに高かった。

その軍需が激減すると見ていたのだから、ほとんど業界を問わずアメリカの企業幹部は、自社が高い利益水準を維持できるような法律制度の制定を熱烈に望んでいた。また政治家たちも30年代大不況から、即大戦争下の耐乏生活に突入してしまった中で、おいしい「役得」の復活を切望していた。

アメリカでも「欲しがりません。勝つまでは」みたいなことを言っていたのかとびっくりされる方もいるだろう。それどころではない。アメリカの戦時節約キャンペーンは、こと細かな日常生活の指導にまで及んでいた。たとえば、アメリカ人の弱みである甘いもの好きについては、こんな指導をしていた。「コーヒー1杯に砂糖は小さじすり切り1杯まで。甘みが足りないと思ったら、めちゃくちゃスプーンでかき回して飲みなさい」

長い前髪をくるっとカールしていつも片眼を隠したピーカブー・ルックで大人気だったハリウッド女優ヴェロニカ・レイクは、お国のためにその前髪をばっさり切り落とした。旋盤などの危険な機械を扱う女性工員の髪が機械に巻きこまれて大けがをしないようにと、率先してお手本となったわけだ。両眼が見えているとそれほどエキゾチックな美人でもなかったことがバレて、当人には大損害だっただろうが。

「国民全体に多大な犠牲を強いた大戦争がやっと終わった」という解放感はあったのだろう。それにしても、とうてい施行すべきではない悪法だ。その制定を後押ししていたのが、当時のアメリカ国民ほぼ全員が実際に体験していた大不況の悲惨さの記憶だった。だれもが、あの二の舞だけは避けたいと思っていた。また、ちょっと年かさの人たちは第一次大戦直後にも、短期間だが深刻な不況があったことも覚えていた。

そして政治家たちや実業界、金融界のトップには、国民の大多数にしわ寄せを押しつけてでも、自分たちに有利なルールをつくるカネと権限があった。議会の大多数はこうした立法に意欲的だった。押しとどめることができる人間がいたとすれば、大統領だけだっただろう。

たとえハリー・トルーマンが強い倫理観を持った人間だったとしても、彼は党内にも有権者のあいだにも確固たる政治基盤を持っていなかった。だから大勢に逆らうことはできず、押し流されていたに違いない。おまけにトルーマン自身が1920~21年の第一次大戦後不況によって、経営していた亜鉛鉱山事業を破綻させている。それから30年代を通じて、残債を返すために極端な貧乏暮らしを余儀なくされていた人間だった。

贈収賄が合法化されたアメリカは「透明度の高い」利権大国

この法律が施行されてからのアメリカでは、有力産業団体、巨大企業、大富豪が正当で合法的な政治活動として、政治家や官僚に莫大な献金をして自分たちに有利な法律や制度を作らせるようになった。さらに、どの程度のワイロをだれに贈れば、どの程度の見返りがあるかを詳細にデータ化している民間監視団体もある。

だから利権資本主義大国アメリカは、一応贈収賄は犯罪という建前の利権社会主義大国中国より、ワイロの授受に関する透明性がはるかに高い。しかし透明か不透明かの違いはあっても、ワイロが社会全体を動かしているという点では、まったく変わらない。

アメリカの儲かる産業、儲かる企業で儲かる地位に就いている人たちは、潤沢な贈賄資金を持っている。その資金を有能なロビイストを通じて、有力政治家、有力官僚に差し出せば、ますます儲かる法律や制度をつくってもらえる。

このへんの仕組みは、じつに明快なデータがそろっている。だから中国経済の利権構造を解明するときのように、ああでもない、こうでもないと推理をめぐらす必要はない。ちょっと古いデータになるが、2010年の時点でアメリカの実業界全体としてロビイストを通じて政治家や官僚におこなった献金は、35億ドルという巨額に達していた。

なぜこんなに気前よく献金するのかと言えば、見返りはもっとはるかに大きいからだ。2010年にダウ・ジョーンズ平均株価を買った人の年間収益率はわずか11パーセントにとどまった。それに比べて各業界の献金「投資」額に対する収益率は、とんでもない高率に達していた。

２００９年1月から２０１１年1月まで開催されていた第１１１期連邦議会で、石油・石炭・天然ガス業界は3億４７００万ドルの献金をした。その見返りは、なんと化石燃料採掘事業への補助金２００億ドルだった。投下資本利益率はじつに５８００パーセントに達していた。

２００４年にはアメリカを本拠地とする多国籍企業93社が、海外で稼いだ利益の本国銀行への送付に関する臨時減税を陳情するために、ロビイスト経由で2億８３００万ドルを使った。「海外で稼いだ利益は海外に置いておくかぎり事実上免税だから、本国に送り返させたければ、法人所得税率を負けてくれ」と要求したわけだ。

その成果で、この93社は本則どおりの税額より６３０億ドルも少ない納税額で済ませることができた。投下資本利益率は2万２０００パーセントだった。

アメリカの産業界の中でもとくにロビイングの投資効率が高いのが、薬品業界だ。２００3年にブッシュ大統領（子）が高齢者向け薬品処方プログラムを制定した。そのとき薬品業界は「政府所管の高齢者向け健康保険、メディケアが処方薬について価格交渉をしてはいけない」という条項をねじこむために1億１６００万ドルを投じた。

メディケアほどの大口消費者が値切り交渉をすれば、処方薬の価格は大幅に下げることができる。だが連邦議会は薬品業界の要求どおりメディケアの価格交渉権を封じてしまった。その結果、薬品業界の処方薬売上は、メディケアに値切られていたらという仮定のもとでの売上に対して900億ドルも高くなった。投下資本利益率は7万7500パーセントという驚異的な水準に達した。

医療・薬品業界はとくにたちが悪い

ありとあらゆる産業団体や企業が、少しでも売上を伸ばし、税額を引き下げるためにロビイストを使っている。その中でも、ひときわ悪質なのが前節最後の例としても登場した医療・薬品業界だ。日本の医師の方々の中には「そもそも我々のことを営利事業でもやっているかのように、医療業界と呼ぶこと自体がけしからん」とお怒りの向きもいらっしゃるだろう。

だがアメリカは公然と合法的に贈賄ができる国だ。世の中全体がそうなっていると、どんなことが起きるか？　たとえば患者の命のようにかけがえのないものを人質に取った産業、あるいは職能団体は、どんどんその有利さを拡大する方向にロビイストを使って法律や制度を変えていくことができる。

医療費支出は他の経済指標をはるかに上回る伸びを続けた
1960～2010年

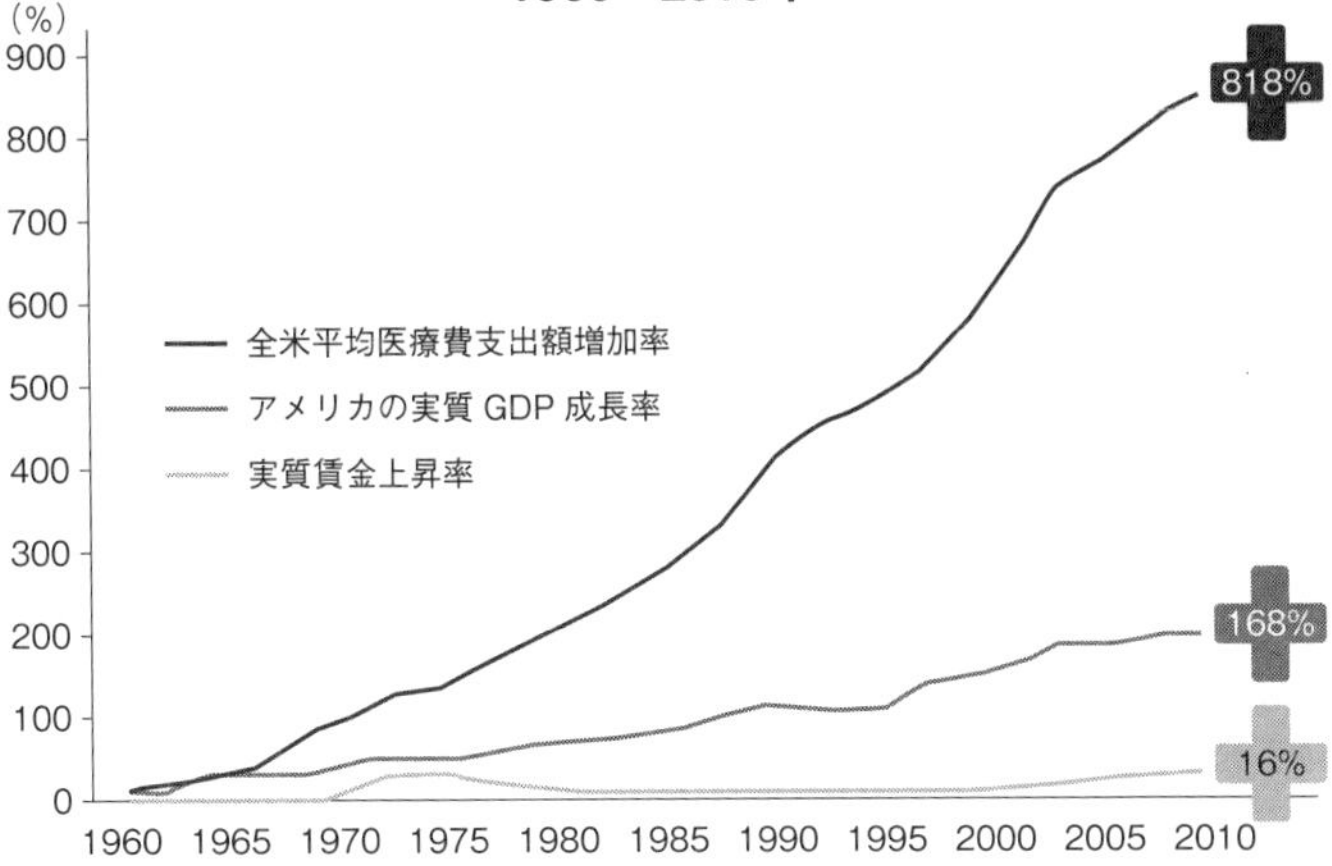

原資料：マッキンゼイ『アメリカの医療コスト集計調査』（2011年版）、Center for American Progressのデータをウェブサイト『Huffington Post』が集計
出所：ウェブサイト『Of Two Minds』、2016年9月5日のエントリーより引用

その営々たる努力の結果、上のグラフに示すような事態が生じる。

実質賃金上昇率が50年間でわずか16％、実質GDP成長率の10分の1に満たないのもせつない。それなのに医療費のほうはGDP成長率の5倍近いペースで伸びている。アメリカの貧乏人は病気や大けがでも医者に見てもらうことさえできなくなったというのは、誇張ではないのだ。

それでもなお「この医療費の突出した値上がりを可能にしたのは、ロビイングだとはかぎらない」というご意見もあるだろう。たしかにロビイングだけの成果ではなかったかもしれない。だがロビイングが大いに貢献していることは間違いない。

次ページのグラフでご覧のとおり、20

ロビイストを通じた献金額トップ10グループ
2008〜2015年の累計（単位：100万ドル）

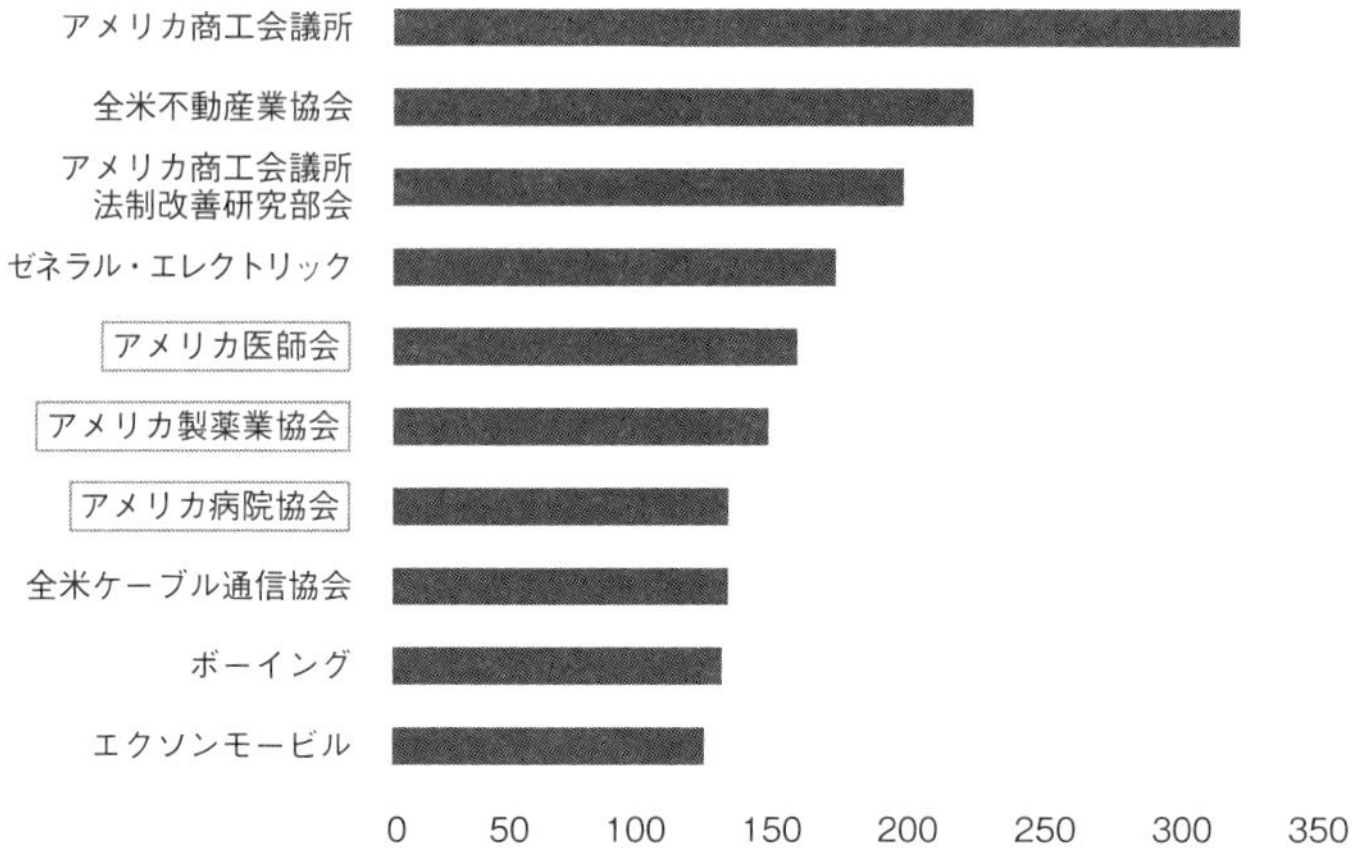

出所：ウェブサイト『Acting Man』、2015年9月28のエントリーより引用

08〜15年のロビイストを通じた献金累計額の1位と3位は産業横断的な経営者団体である商工会議所と、そこに属して議会に働きかける部署が占めていた。そして2位はいかにもという感じで不動産業協会となっていた。それ以外の産業団体となると、医師会、製薬業協会、病院協会が4〜6位に名を連ねている。

　ちなみにアメリカでは、医師と病院運営業者はまったく違う職種だ。専任の医師を抱えている大学病院などをのぞけば、医師は病院に出向いて診察料・施術料を取る。一方の病院業者は救急車で担ぎこまれる患者も含めて、あまり選択肢のない入院患者から、とてつもない「宿泊費」をぼったくる、特殊な形態の宿泊施設を運営している人たちだ。

これだけ医療関係の産業・職能団体が多額の献金をしているのは、献金をすればするだけ、自分たちに有利な法律制度をつくらせる余地の大きな仕事をしているからだ。そのへんの事情は、次ページの表に歴然とあらわれている。

２０１５年の時点で職種小分類ごとに平均年収の順に30位まで並べた表だ。みごとに医師、歯科医師が上位に並んでいる。10位に企業ＣＥＯ、そして15位に石油技師が滑りこんでいる以外は、トップ16職種を医療関連職種が独占している。また18位の足治療師、29位の薬剤師は30位以内に入っている職種の中ではかなり参入障壁の低い分野だが、それでも高給を稼げているという印象は否めない。

それにしては医療・薬品業界の評判は悪くない

これだけ医療・薬品業界がロビイングを使って高額所得・高収益を手にしていても、世間の評判は不動産業者とか石油産業大手ほど悪くない。まあ、「人命を救うのは崇高な仕事だから、どんなに高額報酬を取ってもしかたがない」とか「高額収入が望ましい」と納得している方もいるだろう。

しかしアメリカ国民は先進諸国でも突出して高い医療費を負担しているのに、平均寿命

アメリカの高額年収職種トップ30

順位	職種	平均年収（米ドル）	就業者数（人）	2012〜22年の10年で予想される増加率（%）
1	麻酔医	24万6320	3万0060	18%
2	外科医	24万0440	4万1070	18%
3	口腔外科医	21万9600	5120	16%
4	産婦人科医	21万4750	2万1740	18%
5	歯列矯正医	20万1030	6190	16%
6	一般内科医	19万0530	4万8390	18%
7	他の外科医・医師	18万9760	31万1320	18%
8	一般開業医	18万6320	12万4810	18%
9	精神科医	18万2700	2万5080	18%
10	企業CEO	18万0700	24万8760	11%
11	一般小児科医	17万5400	3万1010	18%
12	専門歯科医	16万8580	5450	16%
13	一般歯科医	16万6810	9万7990	16%
14	麻酔看護師	15万8900	3万6590	31%
15	石油技師	14万7520	3万3740	26%
16	補綴歯科医	14万2830	630	16%
17	建築・土木管理士	13万8720	17万9320	7%
18	足治療師	13万7480	8910	23%
19	マーケティングマネジャー	13万7400	18万4990	12%
20	自然科学系マネジャー	13万6450	5万3290	6%
21	電算情報システムマネジャー	13万6280	33万0360	15%
22	弁護士	13万3470	60万3310	10%
23	操縦士・副操縦士・機体整備士	13万1760	7万5760	▲1%
24	金融マネジャー	13万0230	51万8030	9%
25	法学部教授	12万6270	1万5990	19%
26	セールスマネジャー	12万6040	35万8920	8%
27	航空管制官	11万8780	2万2860	1%
28	人事労務マネジャー	11万8670	1万6370	3%
29	薬剤師	11万8470	29万0780	14%
30	物理学者	11万7300	1万6790	10%

出所：ウェブサイト『Business Insider』、2015年9月23日のエントリーより作成

は先進諸国でも低いほうだ。人命は何よりも大切だから医師の年収は高いし、薬品業界の利益率も高いという説明だけでは、釈然としない向きも多いのではないか。

ロビイング規制法が制定されてから、あらゆる産業、あらゆる職種で仕事をしている人たちが少しでも立場を有利にしようと、ロビイストを通じて政治献金をしている。ただし、どの政党のどんなグループに献金するかは、産業や職種によって非常に大きな差がある。

アメリカは2大政党制の民主主義と言われている。具体的にそういう制度が法律で定められているわけではないが、かなり昔から民主党と共和党以外に属する大統領は出ていない。そして民主党リベラル派への献金が多い産業・職種と共和党保守本流への献金が多い産業・職種は、はっきり分かれている。

いったい何が違うのか。ずばり言ってしまおう。きれいごとを言いながら、あこぎに稼いでいる人たちは民主党リベラル派に献金する。「そうです。我々はあこぎな商売をしています。でもビジネスってそんなものじゃないですか」と居直る人たちは共和党保守本流に献金する。つまり民主党は偽善党、共和党は露悪党なのだ。

そこで、なぜ医療・薬品業界は露骨なぼったくり商売をしているのにあまり評判が悪くないのかが見えてくる。まず新聞・印刷業界と娯楽業界の献金パターンをご覧いただこう。

次ページ上段の新聞・印刷業界というのは、新聞社と雑誌書籍の出版社のことだ。圧倒

民主党リベラル派に献金が大きく傾斜した業界

新聞・印刷メディア

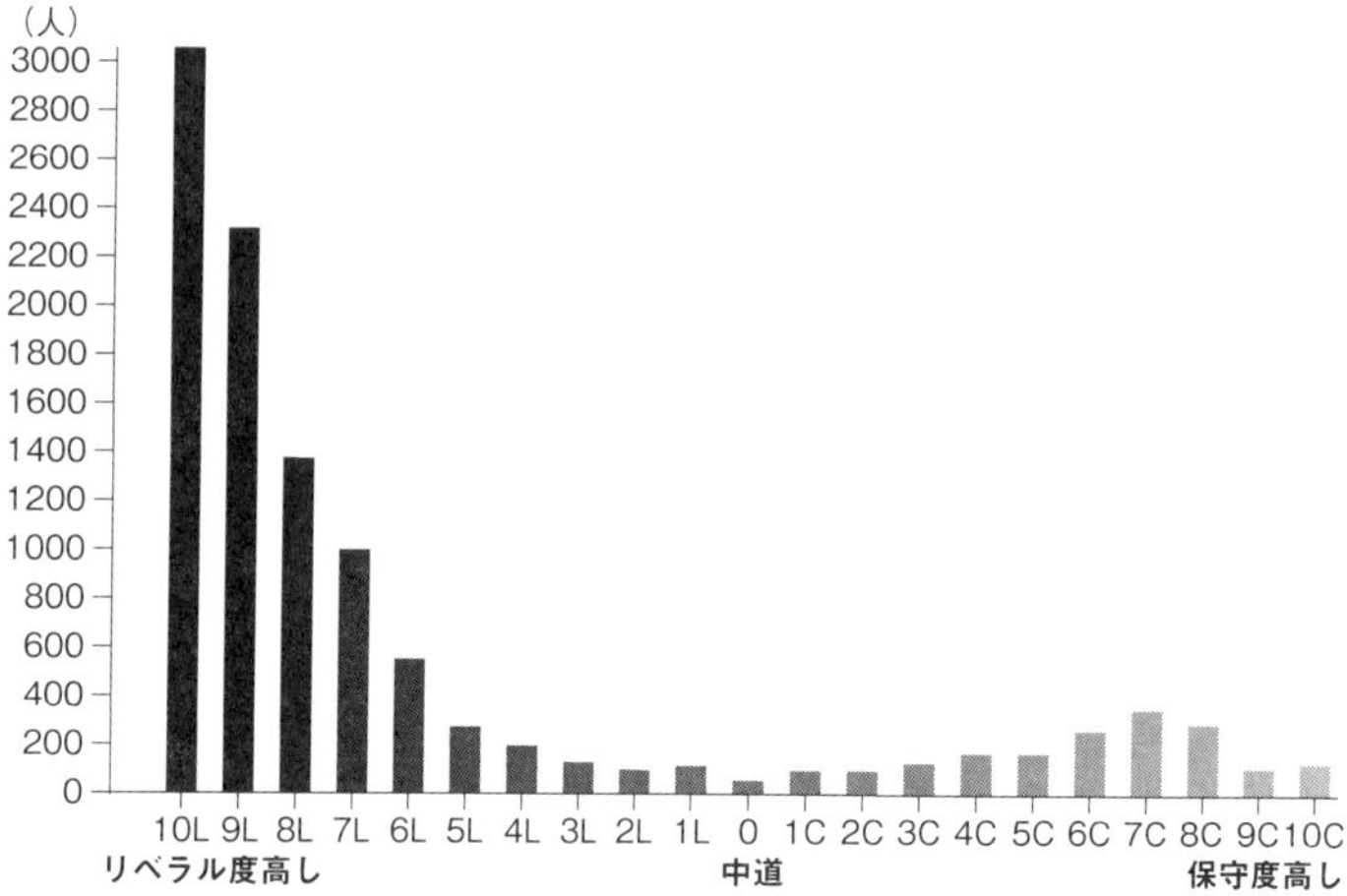

娯楽業界

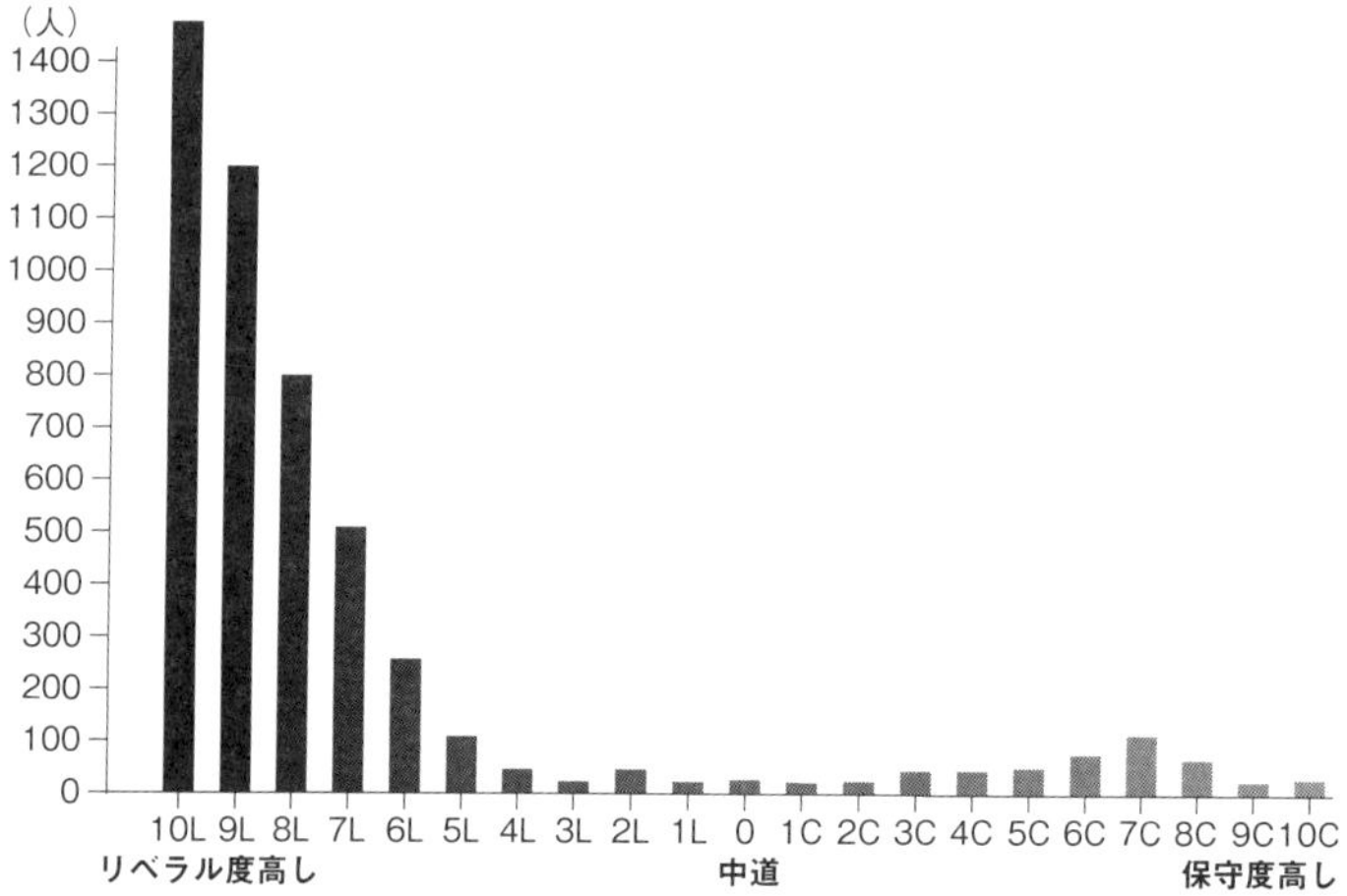

原資料：ロビイングのためのクラウドファンディングサイト、Crowdpac
出所：ウェブサイト『Zero Hedge』、2019年1月20日のエントリーより引用

的に民主党リベラル派に傾斜した献金をしている。下段の娯楽業界とは、映画、テレビ放送網、レコードCDから遊園地やアーケードゲーム運営業までふくむが、やはり民主党の中でもリベラル度の高い議員たちに大きく傾斜した献金をしている。

この2業種は、いわゆる世論を形成する際の影響力が非常に大きい。最近では新聞やテレビの影響力が顕著に下がっていると言われる。それでも自分で根拠のあるデータをチェックしながら社会問題を考えるというかなりの少数派に属する人をのぞけば、やはり新聞やテレビの論調に頼った判断をする人が多いのは事実だ。

たしかに最近ではソーシャル・ネットワーキング・サービス（ＳＮＳ）を通じて得た情報をもとに、自分の意見を形成する人も増えている。大手メディアは自分たちより若くて勢いのあるライバルＳＮＳを牽制するために、「ＳＮＳは極右や陰謀論者のでたらめな情報であふれかえっている」と主張する。

実際のＳＮＳ創業ＣＥＯの大部分は、おそらく新聞・出版業界と似たり寄ったりのリベラル派だ。そして彼らは自分たちが運営している媒体では「右翼」「保守派」「陰謀論者」の発言を削除したり、アカウントそのものを封鎖したりしている。

ＳＮＳまでふくめても新聞・メディア、娯楽産業はほぼ全面的にリベラル一辺倒の献金をしている。中でも新聞社の場合、ニューヨーク・タイムズのような一流紙でさえ極度の経営不振がつづいている。購読料収入は2割、広告料収入が8割という売上構成なので、大口の広告出稿をしてくれるスポンサーに頼らざるを得ない。

かと言って伝統的にリベラルな論調で石油、自動車、不動産といったいかにも共和党保守本流と気の合いそうな業種を叩いてきただけに、今さら手のひらを返したようにおもねることもできない。だから、ますます民主党リベラル派寄り産業のスポンサーへの依存度が高まる。

それとともに「我々はこんなに立派なことをしているんです」という、いわゆるvirtue signalling（ええかっこしい）の論調に偏っていく。「こんなに立派なことを言っている我々を経営難程度のことで消滅させていいんですか」というわけだ。この事実が、たとえば一度でも公共の場で「ニガー（黒んぼ）」と言った人は職を失い社会的地位も失墜するという、すさまじいpolitical correctness（ことば狩り）の風潮をつくっている。

当然のことながら今でもプアーホワイトと呼ばれる下層の白人たちの中には、心の底では黒人を「黒んぼ」と見ている人たちもいる。その人たちにとっては、思ったことをすなおに口に出すことさえできない暗黒社会がつづいているわけだ。

私は、黒人を黒んぼと呼ぶ人たちは軽蔑すべきだと思っている。だが、どんな人が何を言おうと、言論の自由は守られなければならない。特定のことばを使ったら仕事をやめさせられるとか、社会的地位を失うという恐怖心から言いたいことが言えないとかいう風潮は軽蔑すべきどころか、許すことのできない状態だ。

本題の、なぜ医療・薬品業界はあまり評判が悪くないのかに戻ろう。この業界は言語表現自体を売りものにしている業界以外で、おそらくいちばん極端に民主党リベラル派に傾斜した献金をしている。新聞・メディア、娯楽業界に比べれば、ほんのちょっと共和党保守本流への目配りが利いているかな、程度の差でしかない。

薬品業界がエネルギー産業や建設業界ほど悪徳業者の多い業界と認識されていない理由は、次ページの上段のグラフでおわかりいただけるだろう。新聞などの大手メディアとともに「民主党リベラル系」への献金によって、自産業に都合のいい法律制度をつくらせているので、メディアとのあいだに共犯者関係が成立しているからだ。

新聞やメディアには、薬品業界に対して同じ民主党リベラル派を支持している連中だという仲間意識がある。だから薬害問題などが勃発しても、薬品業界に対する追及は甘くなりがちだ。

たとえば非合法麻薬と同等ないしそれ以上の依存症リスクを持つオピオイド（アヘンもどき）が、医師の処方箋さえあれば堂々と合法的に買える薬品として製造販売されている。オピオイドは清潔で不純物のない薬品工場でつくられ、医師が適量を指示してくれる。だ

薬品業界も民主党リベラル派への傾斜度が高い

薬品業界の献金者数

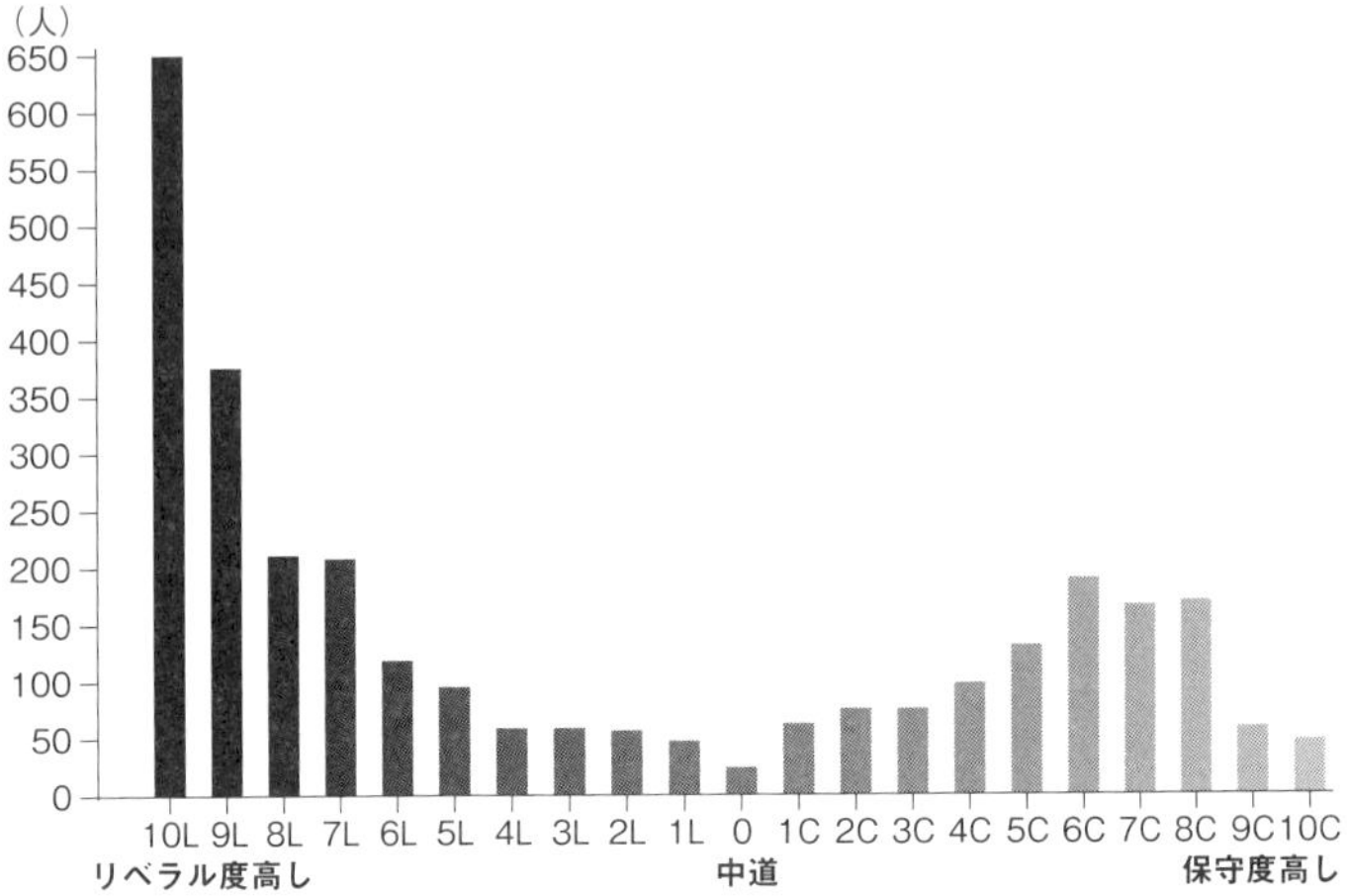

法曹界の献金者数

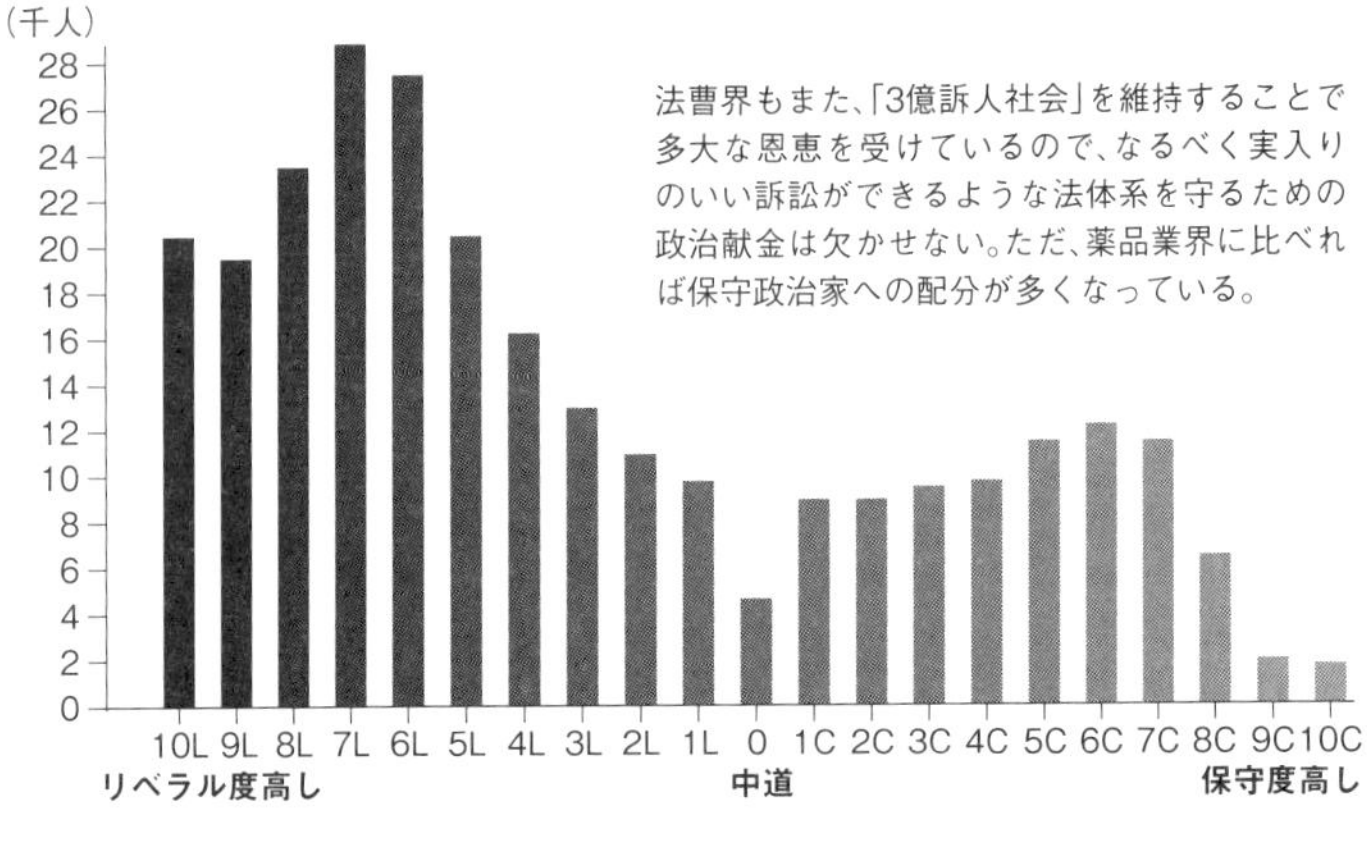

法曹界もまた、「3億訴人社会」を維持することで多大な恩恵を受けているので、なるべく実入りのいい訴訟ができるような法体系を守るための政治献金は欠かせない。ただ、薬品業界に比べれば保守政治家への配分が多くなっている。

原資料：ロビイングのためのクラウドファンディングサイト、Crowdpac
出所：ウェブサイト『Zero Hedge』、2019年1月20日のエントリーより引用

郵便はがき

料金受取人払郵便

牛込局承認

9410

差出有効期間
2021年10月
31日まで
切手はいりません

162-8790

東京都新宿区矢来町114番地
神楽坂高橋ビル5F

株式会社ビジネス社

愛読者係 行

ご住所 〒 TEL:　　(　　)　　FAX:　　(　　)		
フリガナ お名前	年齢	性別 男・女
ご職業	メールアドレスまたはFAX メールまたはFAXによる新刊案内をご希望の方は、ご記入下さい。	
お買い上げ日・書店名 年　月　日	市区 町村	書店

ご購読ありがとうございました。今後の出版企画の参考に
致したいと存じますので、ぜひご意見をお聞かせください。

書籍名

お買い求めの動機

1　書店で見て　　2　新聞広告（紙名　　　　　　　　）

3　書評・新刊紹介（掲載紙名　　　　　　　　）

4　知人・同僚のすすめ　　5　上司、先生のすすめ　　6　その他

本書の装幀（カバー），デザインなどに関するご感想

1　洒落ていた　　2　めだっていた　　3　タイトルがよい

4　まあまあ　　5　よくない　　6　その他(　　　　　　　　)

本書の定価についてご意見をお聞かせください

1　高い　　2　安い　　3　手ごろ　　4　その他(　　　　　　　　)

本書についてご意見をお聞かせください

どんな出版をご希望ですか（著者、テーマなど）

から伝統的な非合法麻薬よりはるかに安全なはずだ。

それなのに今ではヘロインやコカインなどより、オピオイド中毒で亡くなる人のほうが多くなっている。ところが大手メディアはこの事実をほとんど報道しない。さらに抗うつ剤には自殺衝動を高める副反応があるが、これも医学雑誌などでは指摘されていても大手メディアは取り上げない。

ロビイングを通じてわかるアメリカ政界地図

なお下段の法曹界は、実質的にはほとんど弁護士事務所だろう。ただし裁判官や検事たちの職能団体があって、その献金も含まれている可能性はある。90ページのグラフにはたまたま出てこなかったが、「1998〜2014年のロビイング活動トップ20団体」という表には、12位に官吏・公共機関職員、そして20位には健康サービス・健康維持機関（HMO）という連邦政府管轄下の団体がランクインしている。

裁判官や検事が議員に献金したりして司法の独立が保てるのかと思うが、アメリカ的な発想は違う。ありとあらゆる産業・職能団体がロビイングをしているとき、行政府に属しているからとか、司法府に属しているからとかの理由でロビイング活動を禁じられる団体があったら、その団体だけが不利になる。だから彼らにも合法的に贈収賄をおこなう機会を与えるべきだというのだ。

それでは共和党保守本流を支持しているのは、どんな産業分野だろうか。ご想像のとおり、不動産業界、石油・石炭・天然ガス業界、建築・土木業界といった、いかにもワイロやコネで甘い汁を吸う連中が多そうな業界となっている。また銀行や証券会社、保険会社などの金融業の中で伝統的な業態の分野も、共和党保守本流に傾いた献金をしている。

その他では民主党リベラル派と共和党保守本流にほぼ同等の献金をしているが、中道にはあまり献金しない産業グループがふたつある。次ページのグラフでご確認いただきたいが、ロビイストたちとヘッジファンド・ベンチャーキャピタルだ。

ロビイスト集団は、自分たちの飯のタネが争点のはっきりした議案だと知っている。思想傾向などどうでもいいが、補助金や助成措置が出るか出ないかで、有力産業、大手企業の業績にも差が出そうな議案について、賛成か反対かを鮮明に打ち出す議員にカネを渡したいわけだ。どんな議案でも足して2で割る妥協が得意という中道派議員に献金しても仕方がないと思っている。だから献金先もきれいにフタコブラクダ型になっているわけだ。

ヘッジファンド・ベンチャーキャピタルもまた、儲けるチャンスがあるのは世の中がどちらかの方向にはっきり動くときだと知っている。だから彼らも民主党リベラル派の中核

さすがにロビイストやヘッジファンドは
自分たちの仕事を知っている

ロビイスト集団

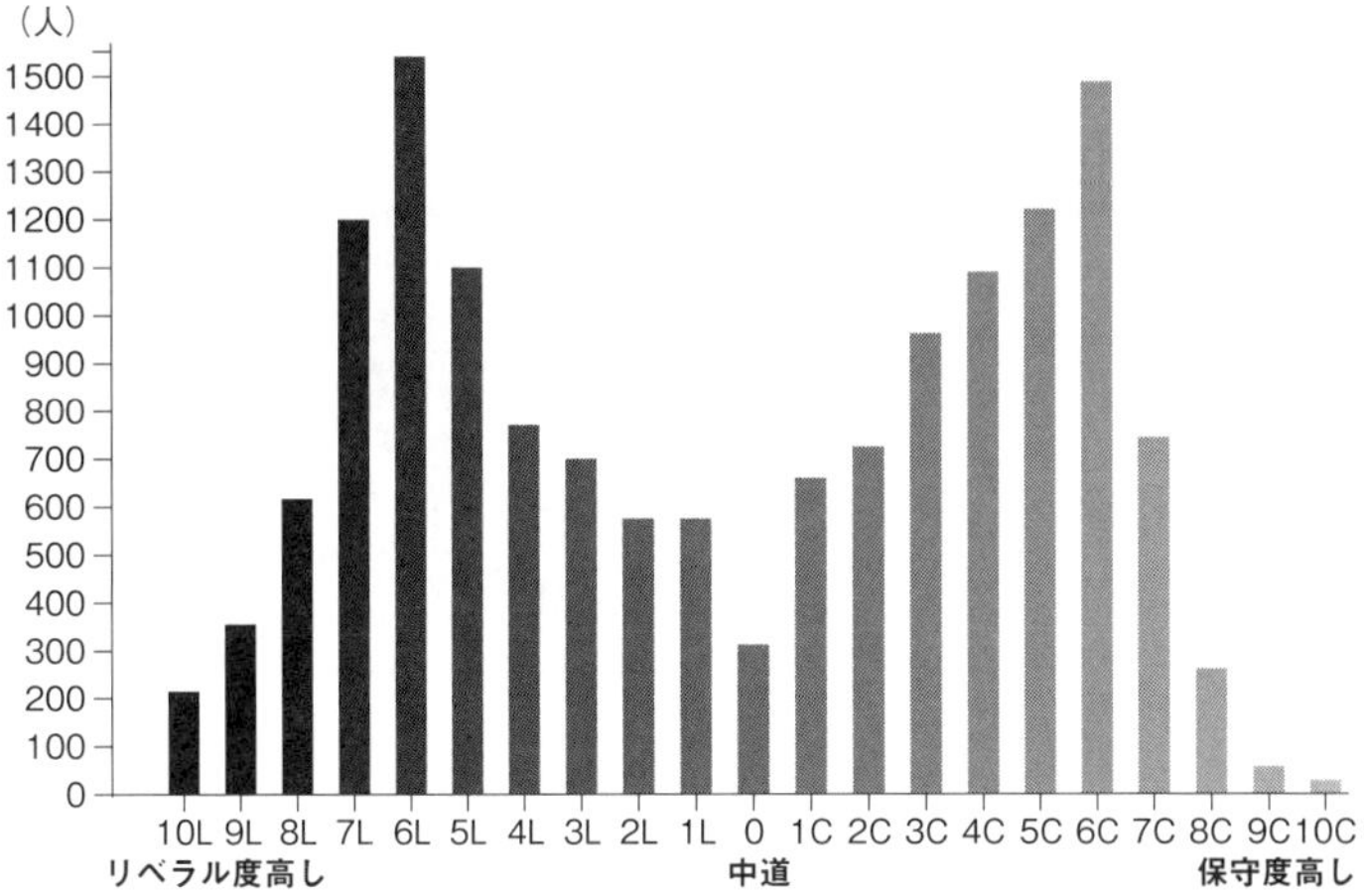

ヘッジファンド・ベンチャーキャピタル

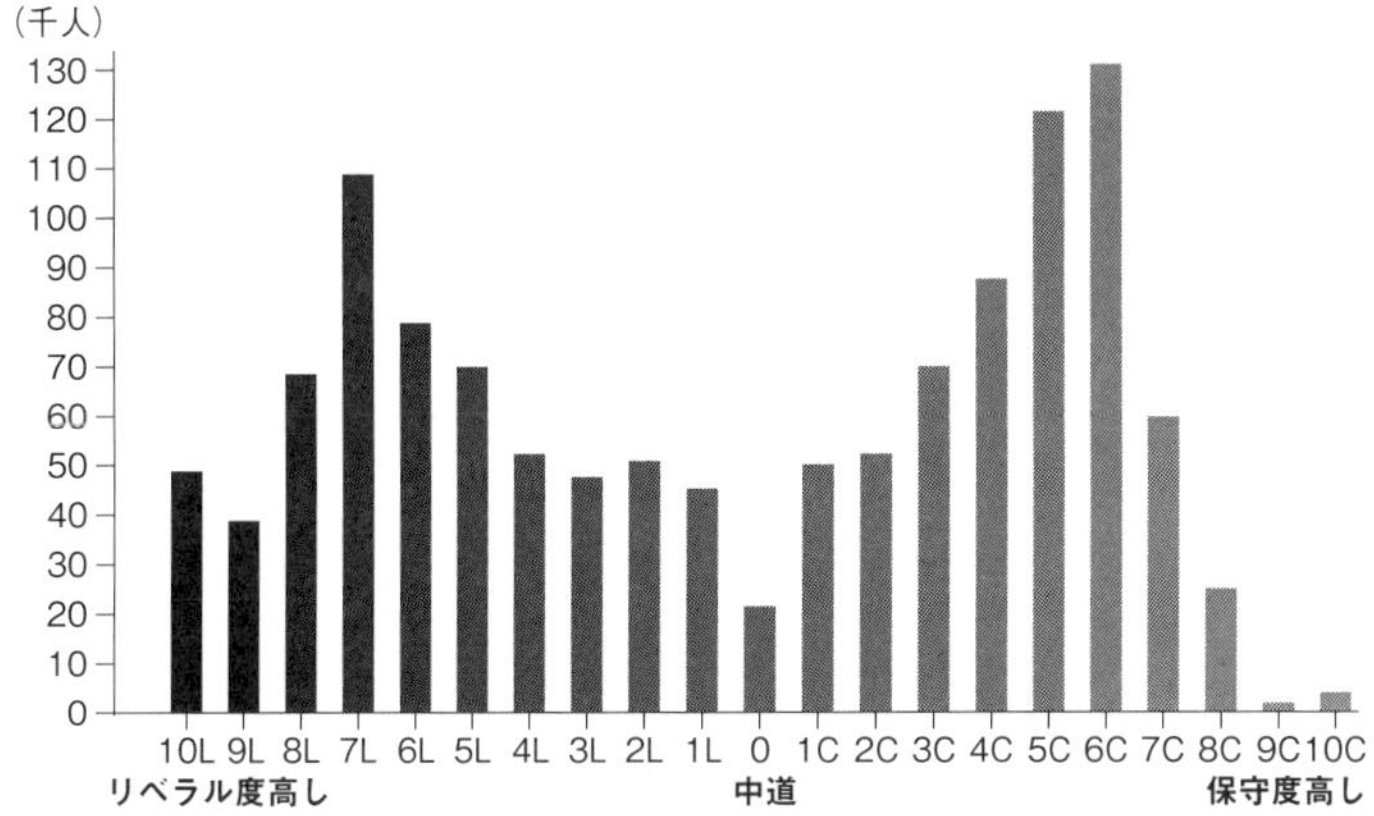

原資料：ロビイングのためのクラウドファンディングサイト、Crowdpac
出所：ウェブサイト『Zero Hedge』、2019年1月20日のエントリーより引用

的なポジションと、共和党保守本流の中核的ポジションの議員に献金を集中させるパターンになっている。こちらも中道派の議員にはほとんど興味を持っていない。

このシリーズでは、約30の産業・職能団体の献金相手先分布図が描かれていた。だが中道派に厚みのある献金をしていた団体はひとつもなかった。考えてみれば、議員をどちらかの方向に動かしたいから、献金するわけだ。どちらに転んでも引き留め役になりそうな議員に巨額献金をしても意味がない。そこで思い当たったことがある。

一応左翼政党の伝統がある日本やヨーロッパ諸国と違って、アメリカには本格的な左翼政党が安定勢力を得たことはなかった。民主党、共和党を比べてみても、政治思想の違いは曖昧模糊《あいまいもこ》としている。それなのに、ほとんどの議案をめぐって侃々諤々《かんかんがくがく》の大議論を展開する。

初めのうちは、どうせどちらもカネになびく連中のくせに、よくまあ真剣に討論しているふりをするもんだと思って見ていた。だが彼らにとっても、どんな議案にもはっきり旗幟を明らかにする切実な必要があるのだ。そうしないと、入ってくる献金額が減ってしまうからだ。

第二次大戦直後には、共和党員にも進歩派や左翼的な考えの人がけっこういた。また、民主党員にも保守派も右翼もいた。それがロビイング規制法が定着するにつれて、共和党は保守右翼、民主党は革新左翼へと純化されていった。

この資料をつくったCrowdpacは、「ひとりひとりでは少額でもクラウドファンディングで大勢の資金を集めれば、知名度は低くても良心的な民主党リベラル派議員を当選させることができます」という趣旨で設立された団体だ。真剣にアメリカの議会政治を変えようとしている意欲を感じ取れる。

だが献金は人数ではなく金額の勝負だ。どう考えても、大富豪や大手企業相手に貧しい庶民が勝てるわけがない。どうして贈収賄が合法化されている異常事態を変えようとしないのかと思うが、それには議会で多数派を形成する必要があるので、議論が堂々巡りになってしまう。

現在の政治状況に沿って考えると、カネづるの問題で対立が激化している民主党対共和党の分水嶺は、グリーン革命を推進するか否かだ。民主党は人為的CO_2排出量をゼロにするために、「再生可能エネルギー」による発電を増やし、電気自動車、水素燃料車を普及させようとしている。共和党は消極的、あるいは懐疑的だ。

この問題についての解答がどう出るかは、人類史の未来にも大きな影響を及ぼしそうだ。

再生可能エネルギー源による発電、電気自動車、水素燃料車には共通の問題点がある。エネルギー効率が悪く、稼働率も低いので膨大な過剰設備を必要とすることだ。

だが、巨額の投資用待機資金を持てあましている金融業界や重厚長大型製造業各社にとっては、まさにそこが狙いなのだ。サービス業主導で消費が牽引する経済への流れを押し戻して、製造業主導で投資が牽引する経済にしがみつきたいからだ。遅れてきた製造業大国中国と、世界一狡猾な金融業大国アメリカがそろって旗を振っていることでも、それがわかる。

「コロナ禍」はゲイツ財団の筋書きどおりに進んでいる

薬品業界と新聞を中心とする大手メディアとの連携は、2020年春からの「新型コロナ騒動」によって一段と進展した。感染が世界的に拡大した直後から、高齢で生活習慣病が悪化している人以外は平常どおりの日常生活をしてもほとんど危険がないことは明白だった。

にもかかわらずメディアは恐怖をあおり立て、世界各国でリベラル系の政府も巻きこんで大きな経済被害をもたらすロックダウンなどの過剰反応を助長した。さらに「新型コロナウイルスの被害を最小化するには、なるべく密集を避けながらワクチンの開発を急ぎ、できるだけ早く大量のワクチンを投与するしかない」という方向に世論を誘導していった。

民主党バイデン政権誕生とほぼ同時に、あまり治験期間を取れなかったのでやっかいな副反応が多発する危険の多いワクチンが投与されはじめた。いざそうなってみると、やっと平常どおりの生活に戻れるどころか、メディアは一斉に「亜種変種が続々発生しているので、毎年ワクチンを射たなければ危ない」などと騒ぎ出した。これはもう大手メディア、各国政府がこぞってワクチン製造業者のための販促活動をしているとしか思えないではないか。

ちなみにビル・ゲイツの主宰するビル・アンド・メリンダ・ゲイツ財団は、早くからワクチン開発に巨額の資金を投じてきた。資産運用部門では、合わせて世界ワクチン市場で約80パーセントのシェアを握る４大ワクチンメーカーすべての株を保有している。

またビル・ゲイツは２０１０年前後から「２０１１～20年はワクチンの10年代だ」というスローガンを掲げていた。「ワクチン接種証明を持たない人間は海外旅行、公共の場、大群衆の集まるところへの入場を禁止しよう」とか、「いちいち新しいワクチンを接種するたびに証明書を書き換えるのは面倒だから、自動更新できるワクチン履歴チップを体内に埋めこもう」といったアイデアはほとんどゲイツが言い出したことだ。

狙いは、ワクチン製造業者の業績向上だけではないのかもしれない。マイクロソフトは、個人を識別できるビッグデータの収集でグーグル、フェイスブック、アマゾンに後れを取っている。だが体内埋めこみ型のワクチン履歴チップの供給と管理をマイクロソフト系列の企業が押さえれば、この劣勢を一挙に逆転できる。

新型コロナウイルス対策を口実に、全面監視社会化への歩みが一挙に加速している。大手ＳＮＳのＣＥＯたちは「自分たちには何がほんもののニュースで、何がフェイクニュースかを判断する権利がある。また何が正しい現状認識で、何が陰謀論かをふるい分ける権利も持っている」と主張している。

ニューヨーク・タイムズやザ・ガーディアンのようなかつての一流紙は、異を唱えることさえできない。それどころか「フェイスブックやグーグルには、まだまだ陰謀論を唱える連中がいっぱい潜伏しているじゃないか」と魔女狩りのお先棒を担いでいたらくだ。

いったいどこに光明を見出せばいいのかと暗澹とした気持ちになる。いや、もう少し正確に言えば、２０１６年の大統領選で差しこみはじめた光明は、２０２０年の大統領選で消えたままになってしまうのかと心配していた。２０１６年大統領選の光明とは何かと言えば、重要な選挙ほど巨額の資金をかき集めた陣営が勝つというむき出しの金権選挙の構図が崩れたことだ。

次ページのグラフはトランプ陣営の選挙戦がいかに型破りだったかを示している。

このグラフは２０１６年７月までの支出を描いている。トランプ陣営は同年６月にかな

2016年大統領選の両陣営は、いつごろ何に選挙資金を遣っていたか?

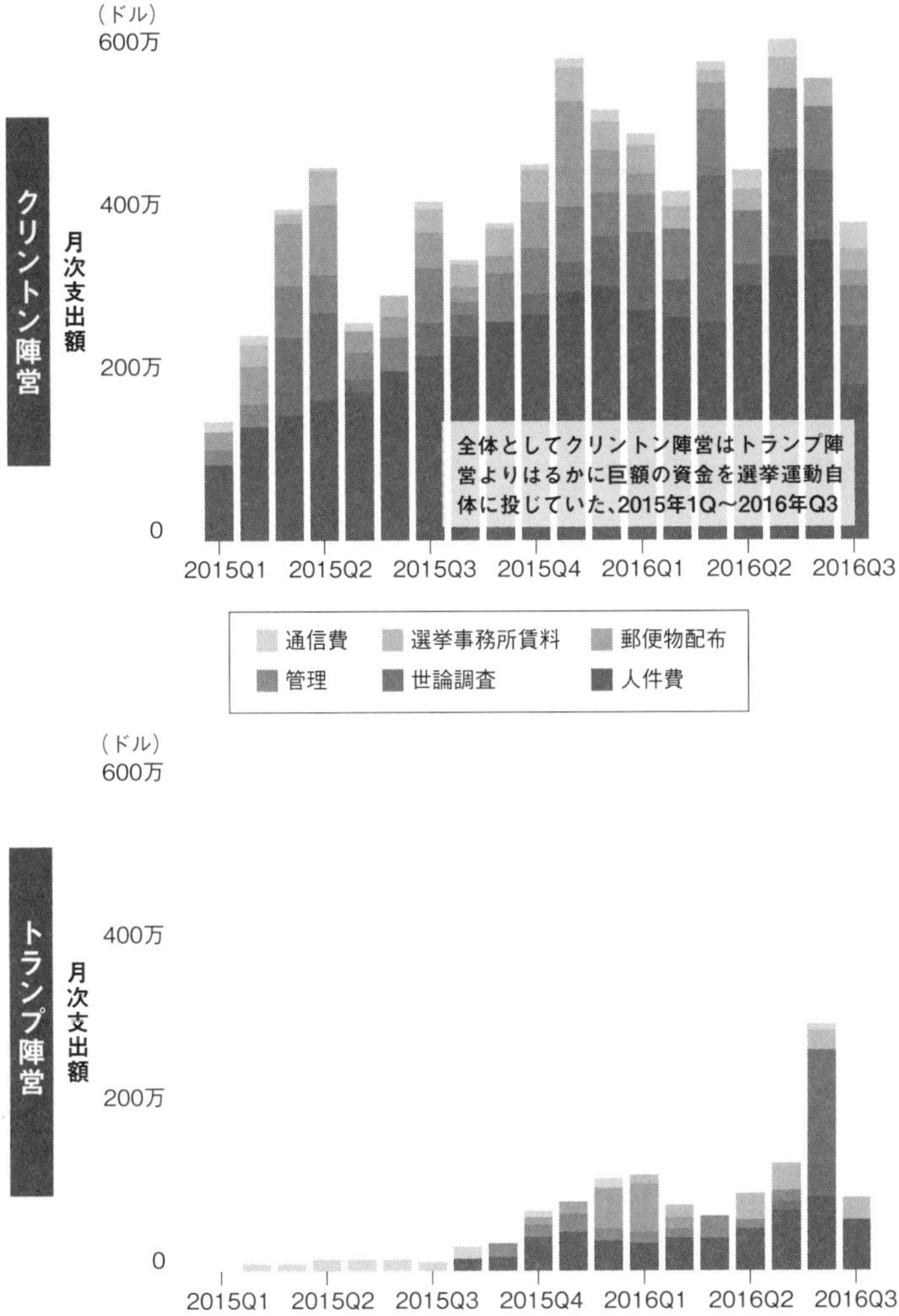

出所：ウェブサイト『Zero Hedge』2016年11月9日のエントリーより引用

り大規模な世論調査をおこなった以外は、ほとんど一月100万ドル前後しか使っていない。クリントン陣営がほぼ毎月200万ドル以上、ときには600万ドル近く使っていたのとは比較にならないほど少ない出費だ。

トランプ大統領誕生の意義とバイデン対中「強硬策」の虚実

ひょうたんから駒で出馬した2016年の大統領選に勝ってしまったドナルド・トランプの政治家としての特異性は、まさにそこにあった。トランプは、この大統領選に出馬するまで一度も、選挙に勝たなければ就けない地位に就いたことはない。また選挙戦に出たこともない。だから巨額の献金をしてくれた勢力になびくという生活習慣がなかった。

トランプにとって中国共産党政権はチベット族やウイグル族への宗教的・民族的迫害をくり返し、反体制思想家を弾圧し、アメリカの工場労働者から仕事を奪う、叩きつぶすべき敵でしかなかった。そしてトランプは1期目も終わりに近づいてから、この仕事に着手した。

トランプ陣営には強力な産業・職能団体がまったくついていなかった。だからこそ軍需産業ロビーの反対を押し切ってイラク・アフガニスタンからの即時撤兵も実現しようとしたし、金融業界の抵抗を押し切って中国との正面対決にも踏み切ったのだ。

だが「類は友を呼ぶ」のことわざどおり、ともにどっぷり利権政治に浸っている中国政府首脳とアメリカの大物政治家たちは「思想信条」を超えて異常なほど仲がいい。民主党リベラル派によるロシア恐怖、ロシア憎悪のデマ宣伝に、共和党保守本流を自任する政治家まで乗っかることが多いのとは対照的だ。

もちろん、その背景にはアメリカ金融業界の、中国政府のような上得意を政権交代によってフイにしてはならないという意向がある。稼ぎのいいアメリカ金融業界からの札束攻勢で手懐けられているアメリカの政治家たちは、キャリアが長くなるほど思想信条を超えて中国びいきにならざるを得ない。

大々的な不正投票、不正開票で大統領となったジョー・バイデンは、第1期トランプの異常なほどの人気の一因は、この対中強硬姿勢にあると見ていた。この観察自体は、あながち的外れでもない。

しかしバイデンには、金融業界という大スポンサーを怒らせてまで、対中直接投資を凍結するとか絞りこむとかの、ほんとうに中国を困らせる政策を打ち出す気概も力量もない。だから対中強硬姿勢を示すために、台湾を独立国と認めるとか、中台国境紛争が深刻化していると言い出したわけだ。しかし、これは、まったくの茶番劇だ。

台湾が独立国として機能していることは、ほとんど世界中が認めている。認めていないふりをしているのはアメリカの金融業界と、対中関係をこじらせると自分の政権が保たないアフリカの最貧国の利権政治家ぐらいだ。中国としてもメンツ以外に「台湾は自国内の一省に過ぎない」と主張する理由はない。

これで中台間に大武力紛争が起きるとか、ましてや「米軍には中国の台湾侵攻を食い止める力がない」とか騒ぎ立てるのは、お笑いぐさだ。中国という上得意を失いたくないアメリカ金融業界はマレーシア・ベトナム・フィリピン・ブルネイ連合ではなく、中国側に付くというほうがまだしも信憑性がある。

お気づきと思うが、中国と対峙すべき諸国軍に台湾が入っていない。台湾には中国によって平和に接収されることを希望する勢力もあるので、あまり当てにならない。ただ、そこからも中台武力対決の可能性は非常に低いことがわかる。

アメリカ軍がおおっぴらに中国人民解放軍と連携して、マレーシア・ベトナム・フィリピン・ブルネイ連合軍と戦争状態に突入するはずはない。せいぜい土壇場で戦線離脱するとか、始めから戦場に来ない程度のことだ。

米海軍・海兵隊の支援がなくても、マレーシア・ベトナム・フィリピン・ブルネイ連合軍は日本で製造した機雷を使って悠々中国を本土に封じこめることができる。それは兵頭二十八が『日本の武器で滅びる中華人民共和国』（２０１７年、講談社＋α新書）で克明かつ詳細に論究しているとおりだ。

習近平は中国共産党総書記就任直前の２０１３年にアメリカを訪問して、認知症も進まず野心満々だった当時のバイデン副大統領と長時間にわたる会見をした。そのとき「あなたがここでのんびり次期総書記としてのお披露目をしている最中に、お国では薄熙来があなたの総書記就任を阻止するクーデターを企んでいますよ」と助言されて薄熙来追い落としのきっかけをつくってもらった恩義を感じている。

だから「台湾海峡をめぐる武力衝突の危機」なるものがいかに陳腐な猿芝居でも、片棒を担がざるを得ない立場にある。もちろんバイデン政権誕生で、アメリカ金融業界と中国民間企業とのずぶずぶの共依存関係がつづくことを心から喜んでいるから、見せかけの対立でも張り切って迫真の演技をして見せているわけだが。

トランプ再選が阻止された今、この中国一党独裁政権とアメリカ金融業界の腐れ縁を打破する勢力はどこから出てくるのだろうか？　中国が無謀な侵略戦争を仕掛けて自滅する以外の可能性はなくなったように見える。だとすれば、現在の閉塞状況が延々とつづくのだろうか？

米株市場でアマチュアがプロに勝った！

ところが、まったく意外なところから一筋の新しい光が差してきた。

今までアメリカの個人投資家たちは、機関投資家の食いものにされつづけてきた。その彼らが金融機関にとってはまったくノーマークだったウェブサイト『reddit』のWall Street Betsというサブスレッドで情報交換をしながら、ヘッジファンドのカラ売りが集中している銘柄を積極的に買いまくった。おかげで破綻するヘッジファンドが出るほどの大踏み上げ買い相場を実現したのだ。

カラ売りと言うと、具体的なモノは何もやり取りせず口で「売ります」と約束するだけのように思っている方もいるかもしれない。その銘柄の株を持っている人から貸株料を払って借りて、そのときの市場価格で売り、約束の期日までに同数の株を返す取引だ。思惑どおりにその後値下がりすれば、高く売った株を安く買い戻せるので利益が出るが、高くなったら差額分が損になる。

株をカラ売りすると、期限までに借りた株を返すために買い戻さなければならない。そのための資金は準備してありますよという意味で、カラ売りをするときには証拠金を積んでおく。そしてカラ売りしていた株がある程度値上がりすると、証拠金の積み増しを要求される。これが追い証だ。

追い証に応じているかぎり、買い戻しをする必要はない。だが応じるための資金がなければ、損を出しながらそのときの値段で買い戻さなければならない。こうして損を承知で買うことを踏み上げ買いと呼び、買い戻しが入ったためにさらに値上がりする現象を踏み上げ買い相場と言う。

今までのところ、個人投資家がプロに勝っているのは、業績的にはなんの展望もないボロ株にプロが安心してカラ売りを集中させていたという油断につけこんで成功したケースが多い。踏み上げ買いが入って高値にはなっても、その高値が維持できるように収益展望が変わったわけではない。

この個人投資家主導の踏み上げ買い相場でいちばん華々しい棒上げとなったのは、ゲームストップという株だった。まだネット経由でゲームをすることが普及していなかったころには、ゲーム機やゲームソフトのレンタルで全米一のシェアを持っていたが、スマートフォンやＰＣでゲームをする流れに乗り遅れて、業績的にはまったく明るい展望を描けない銘柄だった。

２０２０年の大部分を１ケタの株価で過ごしたゲームストップが年末から動き始め、２

ゲームストップ社株価とカラ売り建玉の流通株数に対する比率
2020年1月～2021年3月

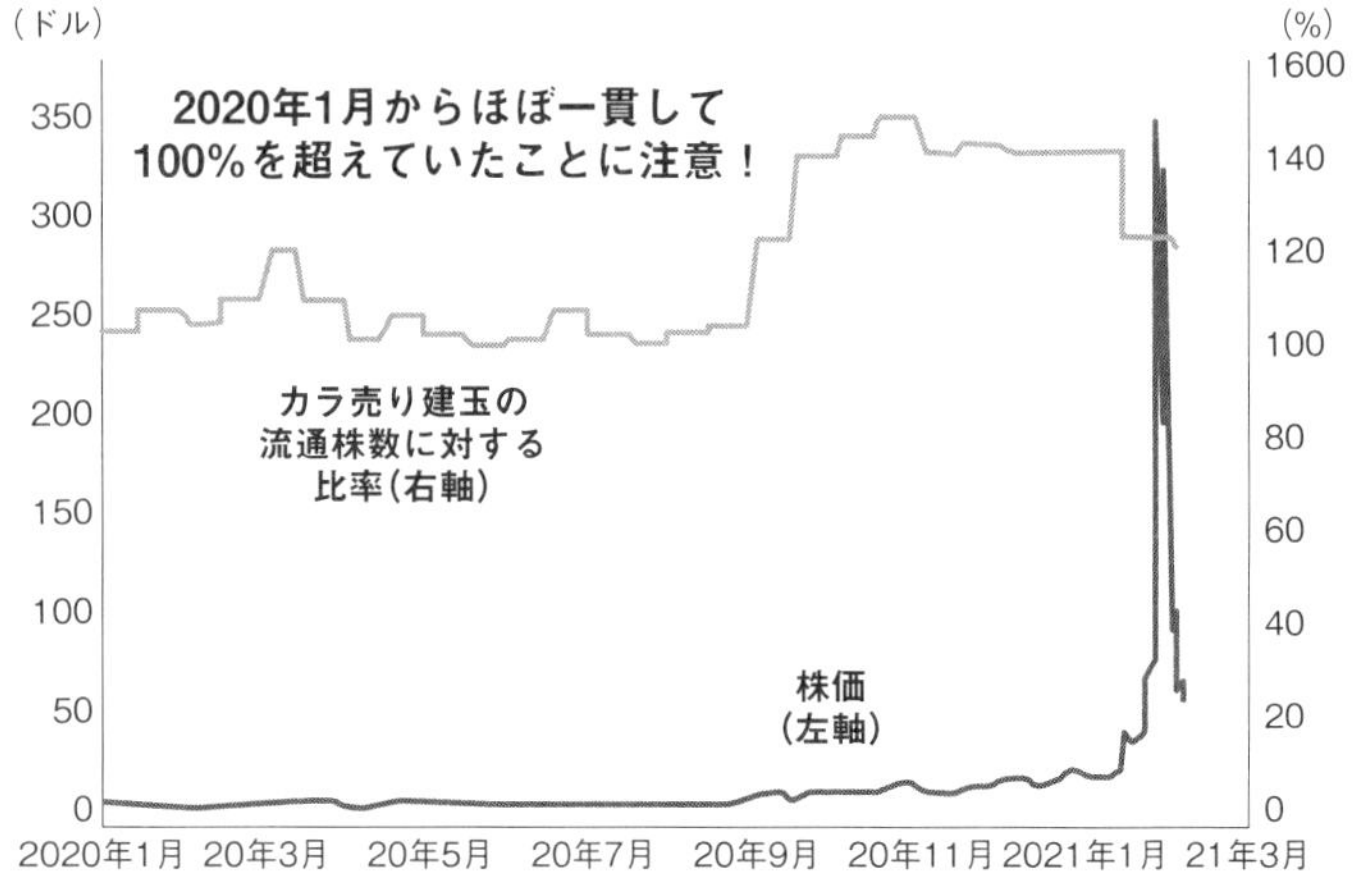

原資料：ファクトセット、ゴールドマン・サックス　グローバル投資リサーチ
出所：ウェブサイト『Zero Hedge』、2021年2月6日のエントリーより引用

０２１年１月末にかけて、すさまじい棒上げを演じた。上のグラフでご覧いただけるとおりだ。

株式市場全体として見れば、経済環境に比べて高すぎる株価をさらに押し上げているだけなので、いずれは目も当てられない大暴落になることはわかりきっていた。実際に、この銘柄も上げたときと同じぐらいのスピードで急降下している。それでも注目すべきことがふたつある。

ひとつは、こんなに流通株数も少ない銘柄に大手ヘッジファンドの多くがカラ売りを仕掛けていたという事実だ。その結果、「いつかは借株を返すために買い戻す必要のある株数が、流通株数よりも大きい」という異常事態が２０２０年初から約1年つづいていた。カラ売りはしたが、買い戻して元の株主に返していない状態の株を売り建玉《たてぎょく》という。

こんなに売り建玉が多ければ、何かの理由で買い戻そうとするカラ売り筋が増えれば、株価が暴騰するのは当たり前だ。それでも平然とこんな小型株にカラ売りを集中していたヘッジファンドは、大損をして当然だった。

現に、このカラ売りで巨額損失を出したメルヴィン・キャピタルというヘッジファンドは、別のファンドに救済資金を入れてもらってかろうじて生き延びる始末だった。このファンドの主宰者G・プロトキンは、２０２０年のヘッジファンド稼ぎ頭15位に入っているので、運用資金はかなり潤沢だったはずだ。

もうひとつは、この株の値持ちの良さだ。ふつう踏み上げ買いで棒上げした銘柄が急落すれば、そのまま安値で低迷することが多い。だが、この株は3月にもう一度２００ドル台に乗せ、５月初旬に入ってもまだ１９０ドル前後で推移している。

「あんなに売り建玉が多かったのだから、まだカラ売り筋のみんなが手仕舞いできているはずはない。それなら、もう一度同じように踏み上げ買いをさせることができるはずだ」と見ている個人投資家がかなりの人数いるのだろう。決して機関投資家に食いものにされるだけの、無知な投資家ばかりではない。

ただ踏み上げ買い狙いだけでは、個人投資家が利益の出ているうちに売り抜けるのはむずかしそうだ。しょせん、どんなに派手に膨らんでも、消えるときにはバブルはあっさり消える。そのタイミングはわからない。結局、泡ひとつが膨らみすぎて潰れるだけのことに終わるのだろうか。

個人投資家が株を手がけた動機が、きちんと利益を確保することだったとしたら、そうだろう。だが動機が儲けたいということ以外にあるとすれば、うまく利益が出ているうちに売り抜ける必要はないし、このバブル崩壊は利権超大国体制そのものをぶち壊すきっかけになるかもしれない。

儲ける以外のどんな理由で株取引をするのか、とご不審かもしれない。だがアメリカには父、叔父、兄が生産拠点の海外移転で職を失ったという若い人たちが大勢いる。彼らの中には海外拠点への投融資で好収益を維持し、ボロ儲けをしているアメリカの金融業者に一泡吹かせるために株取引を始めたと公言している人たちもいる。

彼らのうちどの程度の人数が、金融業界への復讐を狙って株式市場に参加しているのだろうか。結局、大部分は株でひと儲けしたいだけなのだろうか。それはわからない。今まで彼らは、カラ売りの集中した個別銘柄に踏み上げ買いを迫ることで、破綻するヘッジファンドが出てきた程度の成果をあげただけだった。

もし本気で金融業界を痛めつけたいのなら、不自然なほど低水準に張りついているS&P500株価指数の変動性（ボラティリティ）の踏み上げ買いを狙うべきだろう。ありとあらゆるものが金融商品として売り買いできる現代の株式市場では、株価指数のボラティリティも売買できる。当然、先物買いやカラ売りだってできる。

ボラティリティにはおもしろい特徴がある。株価が上がっているうちはあまり高くならないが、下落に転ずるとボラティリティは高まるのだ。Wall Street Betsで情報交換をしている個人投資家たちがS&P500株価指数のボラティリティに買いを集中すれば、踏み上げ買い相場をつくり出すことができるかもしれない。そうなれば、S&P500株価指数自体は下落に傾斜した乱高下を始める。

中国経済は、放っておいても製造業主導からサービス業主導への転換に失敗して自滅する。だが、それは時間のかかる過程だ。一方、アメリカ株市場でS&P500が乱高下すれば、即座に世界中の金融業界に激震が走る。アメリカ金融業界も、中国から借りたカネを中国に又貸しをして高い金利・配当収入を得るというおいしい商売さえつづけられなくなるかもしれない。

そうすると、中国経済はどうなるか。相変わらず国内貯蓄を利権分配に注ぎこんでいれば、民間企業の業績低迷でかなり大きなマイナス成長に陥る可能性もある。もし国内貯蓄を利権分配から民間企業の成長原資に回せば、手足となって動いてくれる既得権益集団を失って、共産党一党独裁体制が保てなくなるかもしれない。

アメリカ経済も激動する。２０００～02年のハイテク・バブル崩壊や、２００７～09年のサブプライムローン・バブル崩壊よりはるかに規模の大きな弱気《ベア》相場になるだけではない。現代アメリカ社会は１９３０年代大不況のときにもなかった、大きな課題を抱えている。

１９４６年から75年にわたって、社会の隅々にまで浸透した利権経済体制をどうするのかという課題だ。この難問に有効な答えを見出せなければ、少なくともアメリカ国民の50パーセント、ひょっとすると80～90パーセントの生活水準は下がりつづけるだろう。

第4章 現代中国著名人列伝

やりすぎた野心家薄熙来

重慶市の共産党書記として運営を任されて辣腕を発揮した薄熙来は2012年4月、全国人民代表大会の最終日に党書記を解任された。直接のきっかけは腹心の部下として使っていた王立軍が、なんと自分の身の安全を守るために、四川省の省都成都の米国領事館に駆けこんで亡命を求めたことだった。

薄は「打黒（暗黒分子をやっつけろ）」のスローガンのもと、汚職撲滅運動を指揮し重慶市書記として実績をあげ、党内の序列を高めようとした。その過程では、重慶市黒社会の女ボスの逮捕にこぎつけたり、彼女がほぼ公然と犯罪組織を操っていられた理由である実兄の公安副局長をはじめとする同市の公安、検察、裁判所がほぼ全員黒社会とつながっている事実を暴露したりする功績もあった。

だが利権集団の横行に憤懣を募らせていた市民のあいだで人気が高まると、調子に乗って「唱紅（革命歌を歌おう）」とも叫ぶようになった。「打黒唱紅」運動は、次第にまるで文革当時の走資派のつるし上げみたいな風景を再現するようになった。

経済政策としては外資導入による成長加速路線を取っていたのだから、皮肉なものだ。

失脚してからの取り調べでは、巨額の収賄、公金横領、妻の愛人だったとも噂されるイギリス人実業家の暗殺など叩けば叩くほどほこりが出てきた。

最終的には薄熙来による不正蓄財の総額は、60億ドル（約６６００億円）に上ると推定された。結局、無期懲役刑が宣告され、北京にある政治犯専用の牢獄に収容されたが、すでに消されているとの噂もある。

外資系企業の国内市場への導入は、改革開放政策を採用して以来の既定路線だ。製造業、情報通信業、インターネット関連などであれば、あれほど警戒されることはなかっただろう。おそらく薄熙来は外資系金融業者が中国に拠点をつくり、人民元で企業融資をするところまで外資導入を徹底しようとしていたのではないだろうか。

日本的な感覚で言うと、汚職撲滅運動で人気を取り、出世しようとする人間が、なぜ自分でも巨額の収賄や公金横領をしているのか不思議になる。しかし、これはもう中国で高い地位に就こうと思ったら、絶対に避けて通ることはできない必修科目なのだ。

収賄も公金横領も家族や友人のための就職の口利きも、何ひとつやったことがない人間は、それだけで警戒されるからだ。「あいつが高い地位に就いたら、同僚ばかりか上司まで一網打尽に失脚させる気なのかもしれない」というわけだ。だからこそ「庶民のヒーローが一皮むけば悪徳幹部だった」などという報道が際限なくくり返される。

おそらく中国のどこに行っても、大都会は大都会なりに小さな寒村は小さな寒村なりに、叩けばほこりはいくらでも出てくるのだろう。大都会には潤沢な利権が回ってくるのでスマートに札束で片がつき、小さな寒村にはスズメの涙ほどの利権しか回ってこないので、悪徳幹部は体を張って自力調達をしなければならないという違いはあるだろうが。

徹底した利権国家である中国では、薄熙来が逮捕した黒社会の女ボスを支える公安副局長の実兄の例でもわかるように、黒社会と「かたぎ」の世界が贈収賄を通じて表裏一体となっている。だから刑務所送りになっても、黒社会の幹部はじつに優雅な獄中生活を送ることができる。

薄熙来の失脚直前に出版された湯浅誠『中国のとことん「無法無天」な世界』には打黒運動で逮捕され有罪判決を受けた黒社会幹部について、中国の雑誌から以下の文章が引用してある。

彼らは、刑務所の中でも黒社会から支給される〝生活費〟で優雅な生活を送り、また家族には手当が支給されていた。刑務所の中では囚人服を着ることもなく、外出、自宅への帰宅、外部との携帯電話での連絡も自由であった。中には刑務所の車でホテルの宴会に出かけた例もある。

多くの公安部門はそれを黙認していた。もちろん多額の謝礼が支払われていた。犯罪者たちは釈放されると組織にもどり、活動を再開する。彼らにとっては、入獄は処罰ではなく休暇みたいなものであった。（同書65〜66ページ）

おもしろいことにアメリカでも事情はまったく同じだ。大勢の未成年女性を各界の大物にあてがって行為中のビデオでゆすって巨額の富を得ていたジェフリー・エプスタインも、最初の有罪判決を受けて約1年半服役していたときの待遇は至れり尽くせりだった。着るものも食事もまったく自由、平日は毎日のように運転手付きの高級車でマンハッタン一等地の豪華コンドミニアムに「出勤」して、平常どおりに事業の采配を振るっていたという。

2度目の収監中の自殺については他殺説が多い。だが、あまりにも初回との待遇が違う一般囚人扱いだったので「これはもう、とんでもない大物が絶対に自分の秘密がバレないように、この中でオレを殺す気だ」と悟って世をはかなんだ末にほんものの自殺をしたという説にも説得力がある。

世間智を欠いた秀才頼小民

2021年4月初めの2〜3日にわたって、政府が設立した不良債権処理会社の中でも、規模の大きい中国華融（英文表記ではHuarong）が経営危機に陥っている兆候が明らかになった。前年の財務諸表を提出すべき期限である3月31日になっても、監査担当者が「まだ提出できない」と公表したからだ。

だが華融の経営不安は、最近始まったことではない。華融は中国では国有金融資産管理会社と呼ばれている、不良債権回収大手4社の筆頭格だった。その社長頼小民は中華人民共和国史上、個人としては最高額の公金横領と収賄をおこなったとして2018年に有罪判決を受け、2021年1月死刑に処された。

債権回収業大手が銀行などからワイロをもらって高めの価格で不良債権を買い入れているのは、周知の事実だ。そもそも中国の国有企業の大多数は、とうてい払いきれるはずのない債務を抱えている。企業の定款でどういう業務内容を記載していようが、国有企業の本業は既得権益集団として社員や関連企業に利権をばら撒くことにあるからだ。

当然、収益の最大化はおろか、なんとか赤字を出さずに経営しようとさえしていない。経営をつづけていれば、返しきれない借金が溜まってしまうのは当然のことなのだ。華融をはじめとする国有債権回収大手4社は、上場を目前に控えて莫大な不良債権を抱えていた国有銀行の帳簿をきれいにする会計操作のために1999年に設立されていた。

どんな手を使ったのか。国有銀行群が持っていた1兆4000億元（現在の為替レートで換算すると、約23兆円！）の不良債権を全部簿価で買い取ったのだ。その手品のタネ明かしは、田代秀敏著『中国に人民元はない』（2007年、文春新書）を引用しよう。

資産管理会社が銀行から買い取った総額一兆四〇〇〇億元の不良債権は、もともとは銀行が国有企業に融資したものであった。そこで、不良債権の「産みの親」である国有企業に総額一兆四〇〇〇億元の株式を発行させ、その株式を資産管理会社がすべて買い取った。結果として、国有企業には一兆四〇〇〇億元の現金が入り、それを使って、元々の借入金の一兆四〇〇〇億元を返済してしまったのである。（同書67ページ）

「不良債権回収会社」の実態は、こんなお粗末なしろものだった。こういう安直な不良債権処理をやりつけていた社長が、もし銀行からもらうワイロの額に応じて不良債権を買い取る際の割引率に差を付けていたとしたら、むしろ勤勉な経営をしていたとさえ言えるのではないか。

中国政府は、何度もこうした国有企業の尻ぬぐいをしてきた。それにしても1999年の大手国有銀行の上場を控えた「債権処理」は、あまりにも負担が重かった。そこで国際金融危機以降になって、4大銀行を中心とする国有銀行に貸しこんだカネの債権放棄をさせるより、不良債権回収のための資産管理会社を活用して不良債権を集中させる方針にやっと変わったようだ。

少なくとも形式的には、債権回収会社が市場の原理を働かせて危ない企業の債務を安く買い取って、経済全体にとって少ない負担で不良債権処理をするという体裁を整えたわけだ。ところが体裁は整えても、実態は利権屋同士が帳簿の付け替えをするだけの体質は変わらなかった。

とくに頼小民という秀才が2012年に社長に就任してからは、贈収賄、公金横領といった旧態依然たる経営をつづけた上に、巨額の不良債務を自力でつくり出していたのだ。頼小民は1962年に生まれ、江西省の貧しい農村で育った。家は非常に貧しかったが成績優秀で、村で最初の大学生となった。

1979年、彼は「現代の科挙」と言われる高考を受け、瑞金市の文系学生中トップの成績で江西財経学院（現在の江西財務大学）に入学した。家庭の事情で毎月わずか21・5元（1980年のレートで約3600円）の奨学金を頼りに大学を卒業したことを、のちのちまで自慢話にしていた。

頼小民は大学も優秀な成績で卒業し、中国人民銀行の企画資金部に採用されてキャリアをスタートさせた。中国人民銀行で20年間にわたって順調に出世したあと、銀行監督の分野に転じた。2009年、中国財務省が出資した中国4大資産運用会社の中で最大手の中国華融資産管理会社（華融）に転職し、わずか3年後には代表取締役に上り詰めた。

華融社長に就任してからの頼小民は銀行、証券、信託、金融リース、先物、消費者金融、不動産購入など金融業界での業務に必要なすべてのライセンスを取得した。そして同社の純資産は2009年の156億元（約2400億円）から2017年には1826億元（約2兆8000億円）と、じつに12倍近い急拡大を達成した。

この急膨張した総資産の大部分を占める債権は、売り手に有利になるよう適正価格よりそうとう高く買っていたはずだ。「中国華融のバランスシートには、いったいどれほど巨額の不良債権が隠れているのか、見当もつかない」と噂されている。

逮捕直後から、さまざまな噂が流れた。横領した物件のうち住宅100戸それぞれに愛人を囲っていたが、あまりにも人数が多く名前を覚えられないので番号を付けていた……。証拠が残らないように一切のワイロは小切手や銀行振り込みを使わず、現金を直接「スーパーマーケット」と呼んだ倉庫に持ちこませていた……。

ニュースサイト中国財新網は頼小民個人が所有していた複数の不動産から人民元と外貨合わせて総額2億7000万元（約41億円）が押収されたが、この膨大な量の札束は重さ3トンに達したと報じた。これで噂のうちひとつは事実だとわかったわけだ。

それにしてもこの人、大学生時代や人民銀行に勤めていた金融官僚時代のように、教師や上司の指示を受けて模範解答を書いていればいいうちはよかったが、国有企業の社長を任されてからは、まったくダメだったのではないか。表向きの仕事である不良資産は処理するどころか自分で増やしてしまう。本業の利権分配は、どうもひとりで貯めこんでしまって、同僚や部下と分け合うことがなかったらしい。

ワイロの存在を前提として動いている中国では、同僚や部下にもワイロのお裾分けをして共犯者をどんどん増やすのが、安全な保身策になっている。そのために郷里からすなおで忠実なだけが取り柄という若い人を引っ張ってきて、腹心の部下にすることが多い。だが、こうした処世術は一応建前としては犯罪なので、経営学の教科書に出てくるわけではない。

清濁併せ呑むどころか、濁った水をだくだくガブ呑みしなければ上司や同僚に警戒されて出世できない中国では、当然の行動を取ったわけだ。それでも金額があまりにも大きすぎたり、成果をひとり占めにしたり、債権回収会社を融資業務もおこなう総合金融業者に改組しようとしたり、どうも「この一線を越えたら危ない」という危機察知能力がない人だったようだ。

「100人の愛人」というのは、もちろん「白髪三千丈」式の誇大な表現だろう。ただ大勢の愛人を囲っていたにしても、それは地味にカネを使える趣味を持っていなかったので、いかにも「世間でカネがうなるほどあったらやりたがる人が多いだろう」程度の貧困な発想でやったことだった気がする。カネの使い途も考えず、ひたすらワイロ最高額の記録に挑戦していたようにしか思えない。

頼小民社長は２０１８年に逮捕され、ほぼ即時の公開裁判で死刑判決を受けた。日本で言えば上訴審のような手続きがあって、刑が確定したのは２０２１年になってからだったが、その後数日で刑が執行された。これは中国でも異例のスピードだったらしい。その罪状としては、総額で日本円にして２７５億円にも上るワイロを受け取っていたことに加えて、「重婚罪も犯していた」と書き加えられていた。

贈収賄や公金横領だけで経営者個人の処刑にまで及ぶとなると、おおごとだ。中国全土の共産党幹部、地方自治体の高級官僚、国有企業の経営陣で安閑としていられる人は、おそらくひとりもいなくなってしまう。

そこで個人としては中華人民共和国史上最高額の横領事件の犯人、頼小民の罪状にも、「何人も愛妾を囲って贅沢三昧の生活をしていた」という重要な項目が付け加えられていたのだ。「そうか、贈収賄や公金横領だけなら大丈夫なんだな」と胸をなで下ろした各界の有力者も多かっただろう。

判決文から本音を読みとる努力をしてみよう。死刑に値する罪状とされたのは、華融を融資業務もおこなう総合金融企業に育てようとしていたことではないだろうか。金融業界での取引に必要なライセンスは全部取っていたというところに、たんなる不良債権回収会社から総合金融業者に成り上がろうという頼小民の意欲を感じる。

ただ、この業容拡大計画は現中国政府・人民銀行の「国内預金は利権配分に使い、民間企業の成長資金には海外からの投融資を導入する」という方針とまっこうから抵触してしまう。それこそが死に値する罪だったわけだ。

こんな会社のドル建て債発行を許している怖い金融市場

こんなお粗末な人間の忘れ形見である華融は、頼小民の逮捕後も平然とドル建て債を発行している。しかも不良債権額を確定するための財務諸表の提出が期限までにできないと判明するまでは、そのドル建て債が額面を上回る価格で取引されていた。

中国の債券市場は、この中国華融がどのくらい危ない会社だと考えているのだろうか。ずばり示しているデータがある。「財務諸表の開示が遅れる」というニュースを受けて、同社が発行した現在流通中の3種類のドル建て債価格がどれほど下がったかを描く次ページのグラフだ。

ご覧のとおり、3種類とも額面1ドルに対して時価が30~40セント安くなっている。額面どおりの1ドルで買った人も、流通市場に出回るようになってから1ドル10セントぐら

中国華融資産管理会社(Huarong)の社債価格推移
2020年1月～2021年4月

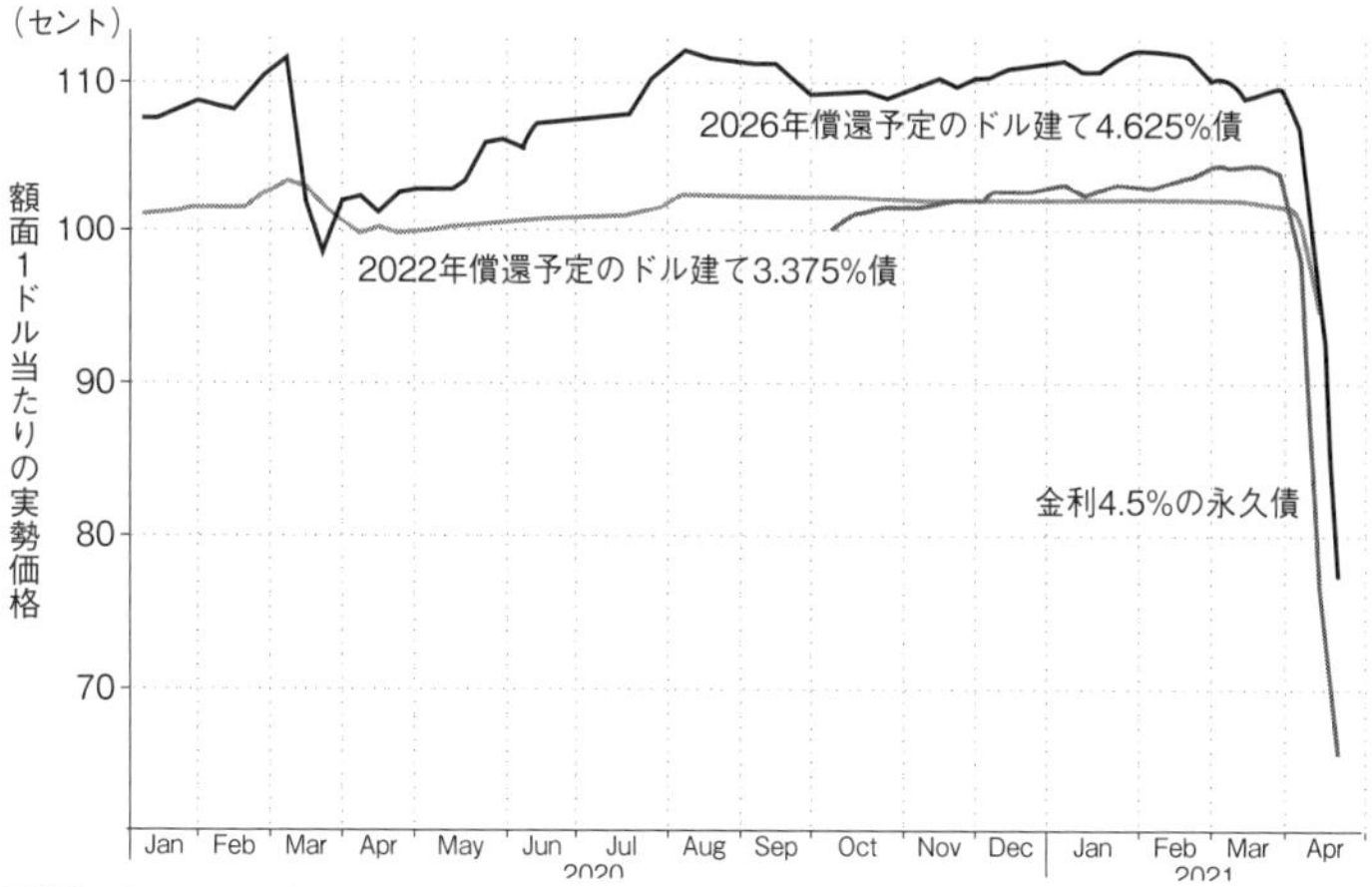

原資料：ブルームバーグ
出所：ウェブサイト『Zero Hedge』、2021年4月13日のエントリーより引用

いで買った人も悪いニュースが出て、すぐ売ろうとすれば60～70セント台でしか売ることができなかった。

世界的に債券利回りが非常に低下しているので、額面に対して3～4%台の利回りを取れるなら有利だと思って買った人たちも多かったのだろう。彼らはかなりの損失をこうむったわけだ。しかし私はこの会社の社債を買った人たちに同情する気はまったくない。

華融は不良債権処理をしなければならない会社なのに、社長が率先して不良債権をつくっていた。このミイラ取りがミイラになったような企業の発行した社債が、2021年3月末まで額面を上回る1ドル10セント前後の価格で流通していたのが不思議だ。

利回りの良さに釣られて、こんな社債に手を出してしまった人が損をするのは自業自得だろう。こんな会社にドル建て債の起債を許す債券市場も異常なら、そのドル建て債に飛びつく投資家も尋常ではない。いや、許すどころか、華融のドル建て債は流通総額も大きいので、中国ドル建て社債市場の指標銘柄とされていたのだ。

中国金融当局は当然、不良債権のかたまりと化した華融を見捨てて債券市場全体の健全化を図るだろうと思っていたら、「華融は十分な流動性を持っている。冷静になれ」とコメントして華融ドル建て債の値戻しに協力している。おそらく、ほかの債権回収会社も華融同様に資産内容が劣化しているので、1社でも破綻したら連鎖破綻が起きると想定しているのだろう。

日本時間で2021年6月3日の未明、ブルームバーグ通信は「中国信達資産管理と中国東方資産管理が約2・5パーセントのプレミアムを付けないと、オフショアドル建て債を売りさばけない状態になった」と報じている。中国華融に関する経営不安が伝染して、4大不良債権会社のうち他の2社にも債務の履行能力に疑問が生じているのだろう。

中国株市場では「中国の金融当局は、もともと不良債権回収会社として設立された4大資産管理会社からまた不良債権だけを切り離して、別会社にする構想を持っているのではないか」といううわさが飛び交っている。だが、丸ごと不良債権の巣窟のような会社ばかりなので、構想どおりに実現できるかとなると、はなはだ心もとない。

中国金融市場の危機も煮詰まってきた。

ジャック・マーはジェフ・ベゾスのコピーではない

ジャック・マーは、とにかく平凡な発想でも実行に移す行動力によって世界最大級のインターネット通販企業アリババ集団をつくり上げた人だ。１９６４年生まれで、子どものころから「これからは英語だ」と確信していた。当時、そんな人は世界中どこにでも大勢いただろう。

ところが、まだ文化大革命後の混乱が収まっていないうちに、自宅そばの大きなホテルに毎日のように自転車で通い、英語国民と見ると片言で話しかけて、ついに英語をマスターしてしまった。その結果、職歴も大学の英語講師から始められるほどになっていたというのは、並の人間にできることではない。

アリババは同業最大手のアマゾンのコピーだという人が多い。だがアマゾンは、創業からかなりの期間を赤字から低採算で過ごしてきた。アメリカ全土の配送網、そして全世界の配送網確立のための設備投資が重荷となって業績低迷期が長かった。

アマゾンの業績好転は、運に助けられた感が強い。配送網確立のための膨大な量の計算に使った大容量コンピューターを当時市場が広がりはじめたクラウド（コンピューターのリース・レンタル）事業に転用し、業界首位のシェアをつかめたからだ。この事業で価格支配力を確保できなければ、今でも低採算企業にとどまっているはずだ。

ところがジャック・マーがインターネット通販に取り組んだのは、むしろ配送網にカネをかける必要がないと見極めてからだった。

改革開放時代の中国にあっても、カネもコネもない個人が自営業を始めるための開業資金を貸してくれる金融機関などほとんどなかった。しかし不思議なことに大型トラックを買うための自動車ローンは当時から存在していた。だから自営業を志向する人たちが大勢、ローンで買ったトラック1台だけの零細運送業者になっていた。

そこで「どこからどこまで何をいくつ運ぶ」という注文を競りにかけると、ローンを延滞すれば唯一の商売道具を取り上げられてしまう零細トラック運送業者が採算を度外視して安値で受注してくれる。実際、アマゾンが赤字や低採算で苦労しながら業容を拡大していたころ、アリババは配送網確立のための設備投資はほとんどせずに好収益・高成長をつづけていた。その差は、次のページの表でも歴然としている。

アマゾン対アリババ、アマゾンが優位なのは売上規模のみ
2018年5月現在の比較

	アリババ	アマゾン
	時価総額：5090億ドル 小売商品総価値：29%増の7010億ドル 売上：31%増の340億ドル 粗利益率：60% フリーキャッシュフロー：140億ドル 海外売上比率：8%	時価総額：7830億ドル 小売商品総価値：25%増の2250億ドル 売上：31%増の1780億ドル 粗利益率：37% フリーキャッシュフロー：40億ドル 海外売上比率：31%
オンライン市場	Tmall/Taobao/AliExpress/Lazada/Alibaba.com/1688.com/Juhuasuan/Daraz	Amazon.com
実売店舗	Intime/Suning/Hema	Whole Foods/Amazon Go/Amazonbooks
決済アプリ	アントフィナンシャルのアリペイ（中国） Paytm（インド） Paytmと提携したペイペイ（日本）	アマゾン・ペイメント
デジタル娯楽	Youku/UCWeb/Alisports/Alibaba Music/Damai/Alibaba Pictures	Amazon Video/Amazon Music/Twitch/Amazon Game Studios/Audible
その他	Ele.Me(Local)/Koubei(Local)/Alimama(Marketing)/Cainiao(Logistics)/Autonavi(Mapping)/Tmall Genie(IoT)	Alexa(IoT)/Ring(IoT)/Kindle+Fire Devices(Hardware)
クラウド事業プラットホーム	Alibaba Cloud	Amazon Web Services(AWS)

出所：Mary Meeker『Internet Trends, 2018』、（Kleiner Perkins、2018年5月30日刊）より引用し、「決済アプリ」部分を加筆

似通った業態だが、売上の立て方がだいぶ違うので単純な比較はできない。アマゾンは商品のかなりの部分をいったん買い取って自社から売るので、売上規模が大きい。アリババは、送り届ける製商品のほとんどから手数料を取るだけの配送に特化した業態だ。

その意味でアリババの売上高フリーキャッシュフローが41パーセントと高く、アマゾンの売上高フリーキャッシュフローが2・2パーセントと極端に低いのは、当然とも言える。ただアリババがこれほど利益率の高いビジネスモデルを構築できたのは、すでに見たとおり中国の社会経済情勢をよく観察していたからだ。

また取り扱い小売商品総価値から見た市

場掌握度でも、アリババが優勢だ。中国本土に売上の92パーセントが集中しているのに、7010億ドルに達している。一方、ほぼ全世界を相手にしているアマゾンは2250億ドルと、アリババの32パーセントに過ぎない。

何より大きな差は決済アプリだ。アマゾンの場合、プリペイドカードを買ったり、クレジットカードを使ったり、他社の提供する決済アプリを使ったりする人が多いのではないか。

一方、アリババは本拠地中国では決済アプリ業界で間違いなく最大と思われるアント集団を育てた。インドのペイｔｍを運営するワン97コミュニケーションズには筆頭株主として資本参加している。またこの表が作成された直後のことになるが、日本でもワン97コミュニケーションズ・ソフトバンク・ヤフー連合を通じてペイペイを提供している。

虎の尾を踏んだジャック・マー

ジャック・マーは、アリババ傘下のネット決済業者として育てたアント集団を融資もおこなう総合金融業者に発展させようとしていた。2020年10月、小さなシンポジウムで「中国経済のさらなる発展には、金融業界の古い体質改善が不可欠だ」というスピーチをしたことで虎の尾を踏んでしまった。アント集団を総合金融企業に育て上げるための最後のステップ、新規上場による巨額増資予定日の11月5日を目前にした11月3日にアントの上場中止を命じられたのだ。

上場を目前に控えたアント集団の業容は、次ページ上段の事業部分構成表に示すとおりだった。

一見して眼が奪われるのは、ネット決済部門の17兆ドルという莫大な金額だ。それでも、これはアリペイを通じて決済されたさまざまな商品やサービスの代金総額だ。アリペイが売上として受け取る手数料は、言うまでもなくはるかに小さい。

また、この表では、上場で得た資金を元手にして新たに消費者金融部門を立ち上げるかのような書き方になっている。実際には下段の円グラフが示すとおり、２０２０年6月30日までの12か月間の実績で、すでに銀行との協調融資がアント集団内で最大の売上部門になっていた。

現状では既存の中国内の銀行との協調融資とか、消費者向け融資とかの枠内にとどまっている。いずれは企業向け融資にも進出しそうなことはだれが見てもわかる。政府・共産党首脳が警戒するのは当然だろう。

ジャック・マーは２０２０年10月末に上海でおこなわれた小さな金融業界サミットで講

アント集団の事業部門構成

ジャック・マーが育てたネット決済の巨人は、どんどん
ハイテク部門・サービス部門を拡大している

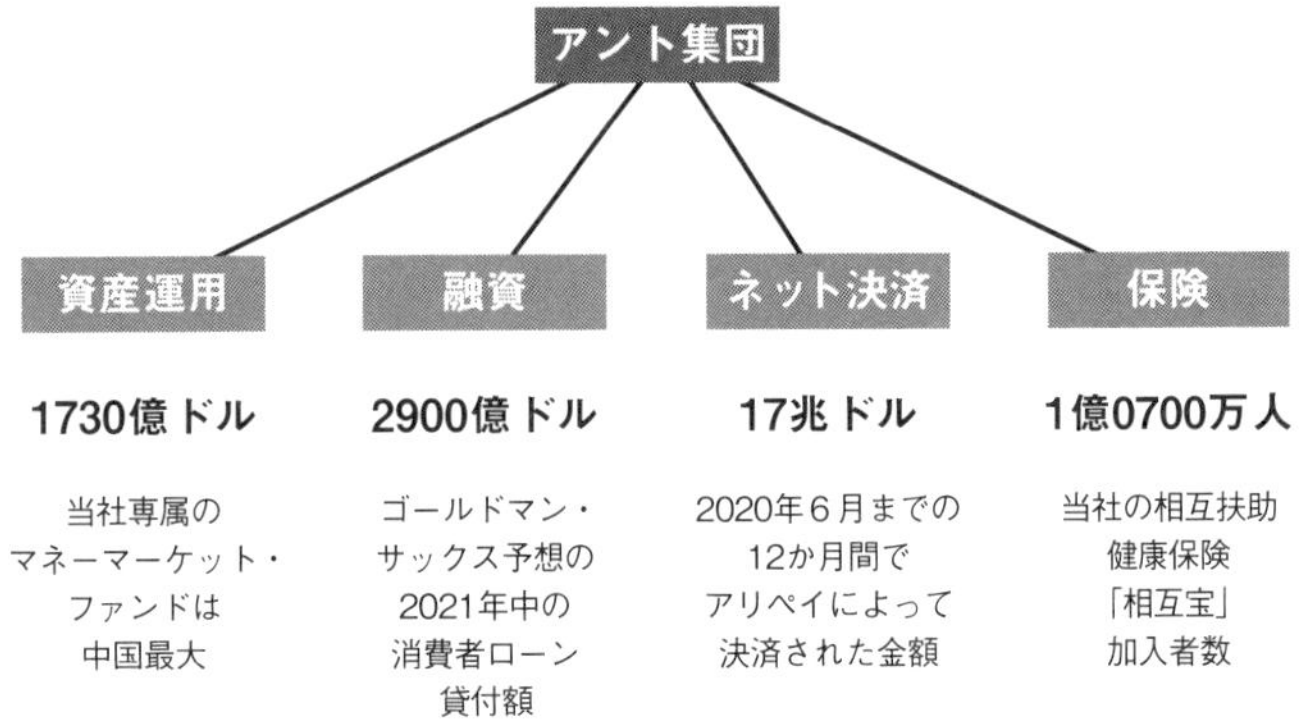

原資料：アント集団、ゴールドマン・サックスのデータをブルームバーグが作図
出所：ウェブサイト『Zero Hedge』、2020年12月27日のエントリーより引用

ハイテクか、それとも金融業か?

銀行との協調融資部門がすでに部門別で最大の売上を占めている

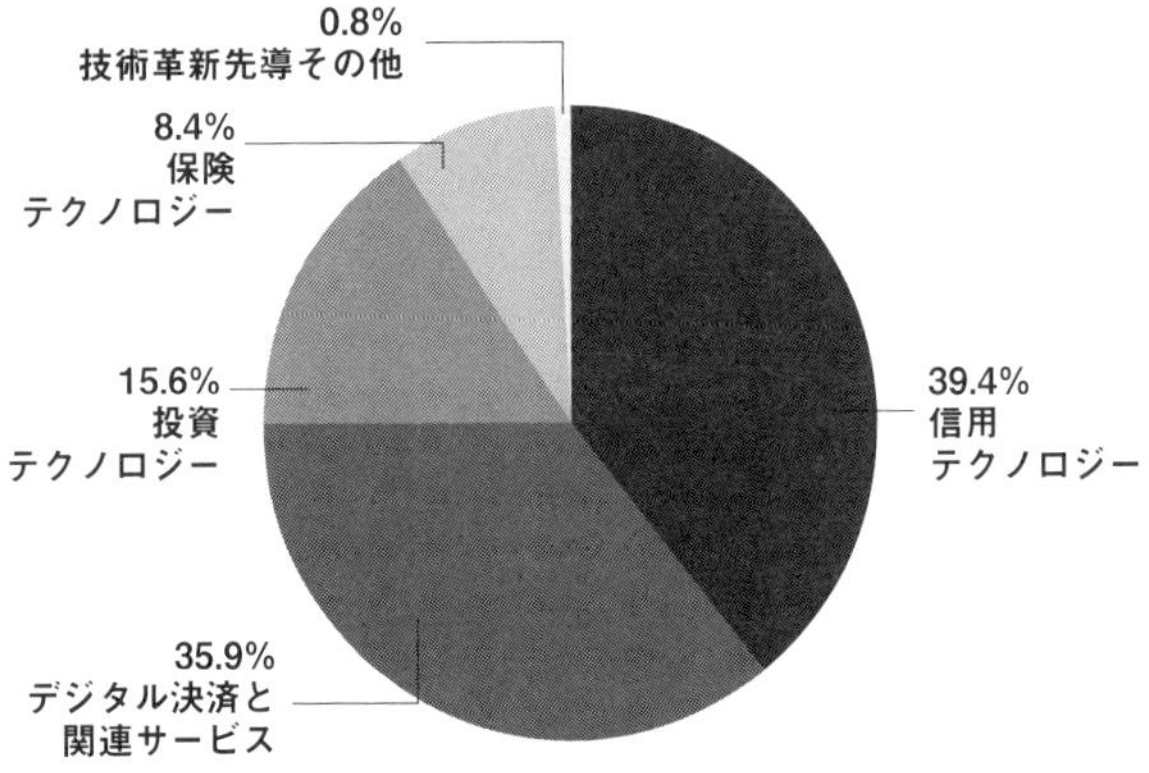

注：売上構成比は四捨五入のため、合計は100%とならない。
原資料：『アント集団上場目論見書』、データは2020年6月30日現在の最新数値
出所：ウェブサイト『Zero Hedge』、2020年11月4日のエントリーより引用

演をして以来、半年以上公共の場にあらわれていない。年が変わって1月末に公的な発言をしたが、ビデオレターによる発言だった。

さらに4月初旬にはアリババ集団が独占禁止法に違反したとして、182億元（約3000億円）の罰金を課されている。罰金がこれほど巨額になったのにはおそらくメッセージがこめられている。

アントを手放し、アリババの経営に関与せず、中国金融業界の「旧体質」への批判を全面撤回しなければ、もっときつい罰を受けることになるという警告だ。ジャック・マーは今、すなおに言うことを聞かなければ、全財産と本人の命だって没収できるんだぞという「思想再教育（恫喝）」を受けている最中なのだろう。

中国政府当局の逆鱗に触れてしまったことは間違いない。いったい何が問題だったのか、上海の金融サミットでのジャック・マーの講演録をチェックしてみよう。

今日の金融の質屋的なメンタリティを変え、信用ベースのシステムの発展に頼らなければなりません。

今日の銀行は質屋のメンタリティを持ち続けています。担保や保証は質屋です。これは昔は非常に先進的でした。担保や保証のようなイノベーションがなければ、今日の金融機関は存在せず、この40年間の中国経済の発展は今まで続きませんでした。

……銀行はお金を必要としていない優良企業に融資をしたがります。銀行は必死になってこれらの企業にお金を貸したいのです。その結果、多くの良い企業が悪い企業になってしまうのです。彼らは投資を分散させ、そのお金を自分たちには全く適さないことをするために外に移してしまうことさえあるのです。お金が多すぎると、大変なことになります。

2020年10月24日、外灘（バンド）金融サミットにおける
ジャック・マーの講演抄訳
（ウェブサイト『Axion』、2020年11月11日のエントリーより引用）

非常に用心深く「国有企業」という表現を避けて、現代中国の銀行融資が担保や保証を優先し、若く伸び盛りだが担保や保証に関しては弱い立場の企業を不利にしていると批判したように見える。しかし現代中国の金融事情を少しでも知っている人から見れば、何を批判していたのかは一目瞭然だろう。

国有銀行グループの寡占支配がつづく中国銀行業界では担保や保証があろうとなかろうと、融資はつねに国有企業に有利な方向でおこなわれる。その結果、国有企業の多くが必要もなく使途もわからないカネをもてあまして、ますます業績が悪化する。

一方、成長途上の民間企業は成長の原資どころか、日常業務を遂行するための資金繰り

にさえ苦労する。そしてシャドーバンクや投資平台が要求する高利での借り入れか、外資系の投融資に頼らざるを得なくなっている。海外融資を受け入れれば、中国内での高金利と同様か、ときにはそれより高い金利を要求されることもあり、為替リスクもしょいこまなければならない。

ジャック・マーの現状批判は、共産党一党独裁や、中国金融業界の旧体質をはるかにこえたところまで射程に入れていた。製造業主導からサービス業主導に経済が転換する中で、大衆の問題をエリートが解決してやる世の中から、エリートがつくり出した問題を大衆が解決する世の中に変わると言ったのだ。

今の世界は、本当に未来のために設計された新しい金融システムを必死に待っていると思います。今日の金融システムは、工業化時代の産物であり、工業化のニーズに対応するために設計された総合的な金融システムであり、二八理論を満たすために設計されたものである。

二八理論とは何か？　問題の80％を解決するために、20％に投資するということです。そして、金融システムの未来は、80％の中小企業や若者が残りの20％の人たちを動かすのを助ける、八二理論を実現することです。

人がお金を探し、企業がお金を探すという旧来のやり方から、お金が人を探し、お

金が良い企業を探すというやり方に移行しなければなりません。（同講演抄訳）

これだけはっきりと「製造業の時代はエリート主導、サービス業の時代は大衆主導」と言いきった人は、ジャック・マー以外にいないのではないだろうか。また「製造業の時代に人や企業を使っていた金融業界は、サービス業の時代には人や企業に使われる身分に落ちる」と主張した人も他にはいなかったような気がする。

アント集団の上場計画停止命令が出されたのは、アメリカ大統領選当日の11月3日のことだった。その後約2か月消息の途絶えていたジャック・マーが、翌年1月中旬、テレカンファレンスにリモート参加して「今後の人生は公教育の充実に日夜奮闘している地方小中学校教師の待遇改善に余生を捧げる」といったいかにも共産党官僚が命じたとおりに見える坊主懺悔《ざんげ》をさせられた。これはバイデン政権が稼働した直後のことだ。

第1章でも書いたが、中国の金融当局がアント上場阻止に踏み切れたのは、バイデン陣営から「どんな汚い手を使ってもトランプ再選は阻止するから、安心してアリババ潰しをしてくれ」というサインがあったからだろう。1月のジャック・マーが出演したビデオメールは、習近平政権からそれに答えての思想再教育は順調に進んでいるというサインだろう。

ジャック・マー率いるアリババ集団は、このまま中国政府によってお取りつぶしになってしまうのだろうか。そしてアント集団はアリババと絶縁し、人民銀行完全監視下の「ふつうの」銀行を傘下に持つ持ち株会社に変わることで、かろうじて命脈を保つことになるのだろうか。近い将来、中国か、アメリカか、２か国同時に政治・経済・社会を貫く大激震が起きなければ、残念ながらそうなる可能性は高いだろう。

小心な革命家は褒めすぎ馬化騰(ポニー・マー)

アリババのジャック・マーが中国版ジェフ・ベゾス、バイドゥの李彦宏がグーグルのラリー・ペイジかセルゲイ・ブリンに当たるとすれば、テンセント（騰訊）創業ＣＥＯの馬化騰はフェイスブックのマーク・ザッカーバーグに当たると表現する人がいる。

だが実際には、テンセントはＳＮＳ一般と言うよりはるかに携帯を使うゲームアプリ、音声・映像アプリに特化している。その意味では、中国のネット関連３大企業の中で業態としてのオリジナリティがいちばん高いのは、テンセントだろう。

ＰＣはせいぜい一日３〜４時間しか使わないが、携帯は24時間持ち歩く人が多いことに目をつけたのは非常に早かった。「狭い画面をこちょこちょいじるだけの娯楽媒体には限界がある」という社会通念を打ち破って一大アプリ王国を築いた。

父が地方都市レベルにとどまったとはいえ、地位の高い共産党員だったため、発展途上時代の中国としてはかなり裕福な家庭で育った。経営者とか指導者の立場でものを見ることに慣れている印象が強い。2015年に自分がつくった会社が時価総額1000億ドルを突破したときの過大評価への不安というより恐怖を明かしたコメントは語りぐさになっている。

私たちは（時価総額）1000億ドルに触ることができたのです。本当に恐ろしいことです。もし上手く行かなければ、市場価値は何ポイントも下がります。毎秒毎分起こる可能性があります。数ポイント下がり、続けて下がっていきます。正にまだ暖かさの残る死体……、見る人をギョッとさせます。こんな気持ちです。

（ウェブサイト『Groo-Inc.com』、「中国の最新動向」
2015年2月22日初出、2019年5月15日更新より引用）

この慎重さは、たしかに行け行けどんどんで急成長している企業のトップとしては珍しいだろう。そして自分の感性は老化し、鈍くなっていることを率直に認める次の発言も、威勢のいいネット系新興企業の経営者が語ると新鮮に聞こえる。

皆さんは私は若いと思うでしょう、しかし私は年をとったんです。新しいもの良さ《ママ》が分からないのです。

……今、子供にたまに聞きます。どう？　ちょっとやってみて、好き？　友達はどうかな？　私たちよりも正確な評価が返って来ますよ。だから言うのです。私たち年寄りには判断ができないんです。人を呼んできて、彼らの意見を聞きましょう、と。

（同サイトより引用）

ただ、こうして若い感性を取り入れた事業を展開するにあたって、実務は徹底的にエリート主義で推進している。

モバイル決済機能。アリババは我々の遥かに前を走っています。当然ながら微信支付（Tenpay：テンペイ）から攻撃をかけなければなりません。この市場に狙いを定めるならば、全ての企業のスター社員をこの業務に集約して、この業務におけるチケットを入手しなければならないと感じています。この点でアリババのAlipayはかなり先進的な事例であると認識しています。

（同サイトより引用）

この発言当時、テンペイはアリペイにかなり水をあけられていた。だが２０２０年第２四半期の時点では、アリペイ55・６パーセントに対してウィチャットペイと改称したテンペイ38・８パーセント、その他全アプリ５・６パーセントと、完全に２強の一角を占めるに至っている。重点課題にはスターを集中するというエリート主義が成功した事例と言えるだろう。

だがエリート主義は「お上が支配下の国民を監視する」構図にもかんたんに呑みこまれる危険をはらんでいる。

中国ではゲーム参加者がチート（ずる）アプリを使って不正に高得点を取ることが多く、問題になっているらしい。テンセントでは、こうした不正アプリをハッキングして無効化する技術の開発も進んでいる。そこまではいい。だがチートした人間を公表したり、ましてやお上に通報したりするとなると、これはかんたんに見過ごすことのできない問題だ。

テンセントがしていることは、もっとひどい。ゲームの中での不正行為を、現在中国政府が進めている顔認証監視カメラを使った全国民への社会信用点数付与システムと合体させようとしているのだ。

周知のとおり中国政府は今、顔認証カメラを使って全国民の日常行動を監視し、その結果を社会信用点数に反映させるシステムを構築しつつある。違法行為はもちろん、政府が秩序紊乱行動とか、他人に迷惑をかける行為と認定したことをすれば社会信用点が下がり、逆に「善行」をすれば社会信用点が上がる仕組みだ。

この点数に応じて、国民ひとりひとりにさまざまな利益・不利益が生ずる。航空券や高速鉄道乗車券を買える、買えない、パスポートの発給などを受けるために役所で行列をつくるとき、短い列に並べるか、長い列に並ばされるかといった日常生活の細々したことで明確な差が付けられてしまうのだ。

正直なゲーム参加者がなかなか取れない高得点を、ずるをして取ってしまう人間に対する憤激はわからないでもない。それでもゲーム内での不正行為への懲罰は、同じゲームの中での減点とか、そのゲームからの追放とかにとどめるべきだろう。政府共産党と一体となって、違反者の社会生活全般に影響を及ぼすべきではない。

それだけではない。ゲーム内の不正を通報して「犯人」の社会信用点を減らすことに協力するなら、なぜネット決済で売り手企業や買い手消費者がおこなった不正行為も社会信用点数減点のための証拠として提出しないのかという質問、あるいは命令に逆らうことはほとんど不可能だろう。

結局、自社の持つ全データを社会信用点数制度に組みこまれても仕方がない、それどころか積極的に組みこまれたいという意思表示としか思えない。それとも、とっくの昔に始めていて今さら隠し立てをする必要も感じていないだけだろうか。

このお上にへつらう姿勢が功を奏したのか、現在までのところアリババと、テンセント傘下の料理宅配業者美団にかけられた独占禁止法違反の容疑は、テンセント本体にはかけられていない。だが、そろそろ中国も、現共産党一党独裁政権という大樹の陰に寄り添っていれば安泰という国ではなくなってきている。

中国の水戸黄門温家宝と宝石業界のボス張培莉夫妻

胡錦濤国家主席時代の首相温家宝は国民のあいだに水戸黄門のような人気を誇っていて、悪徳官僚や悪徳商人をやっつけてくれる庶民の味方という伝説がいくつも語られている。実際に草深い農村にまで視察に行って、官僚のお膳立てしていない農民生活の実態を抜き打ち調査することは何度かあったようだ。次の引用が、そういった場面を描いている。

「(前略) 北京の郊外に房山というところがある。そこの農民たちはいまだに九インチの白黒テレビを見ているんだよ。……共産党員であるからには多数の人の利益を考えるべきであり、少数の人間のためだけを考えてはいけない」

温家宝はここであらためて強調した。

「われわれは調査と研究に来たのであって、見物に来たのではない。だから『宣伝用スポット』を見せてくれるな」

(『中国農民調査』137ページ)

ただしお忍びで視察をするときの陣容は、助さん、格さんのふたりだけの水戸黄門とは、かなり違っていた。

送迎を断り、宴会はなし、車から降りても前後を取り囲む随行員の行列はなし、万事簡素にするよう命じた。随行する人員も、秘書の田学斌《でんがくひん》、護衛参謀の張振海《ちょうしんかい》、中央弁公庁秘書局と中央工作指導小組から局長が各一名、そして農業省の関係指導者が一人という限られた人数だった。

（同書132ページ）

これは首相になってからの視察ではない。まだ中央政治局候補委員で中央の書記処書記だったころのことだ。国家主席や首相の公式の視察には何人随行がつくのか、想像もつかない。護衛参謀という役職があるということは、要人ひとりについて複数の護衛が常時警戒に当たり、その中で指揮を執る参謀がいるということだろう。それだけ身辺警備を厳重にする必要があるとも言えるし、党中央はそれだけの雇用機会を創っているという見方もできる。

だが中央の指導者のうち、いちばん多くの県に直接足を運んだという温家宝もワイロを取らない人間は出世できない中国政界のご多分に漏れるわけではない。天津の下町のたった21平方メートルの狭い家に一家5人が暮らす環境で3人の子どもを育ててくれた母親には、大手生命保険会社の株を上場直前にその会社からのローンで買わせて、上場後の高値で売り抜けて大富豪にさせるといったこともそつなくやっている。

また夫人の張培莉は、中国宝石鑑定士業界のボスに自力で成り上がった人物だ。夫妻の長男温雲松は北京理工大学を卒業後、アメリカのいくつかの大学、大学院で学び、ニュー・

ホライゾン・キャピタルという未上場株ファンドの共同創設者になったあと、北京でユニハブ・グローバル・ネットワークス社のCEOをしている。このへんも温家宝が「中国の政治家にしては良心的で温厚な人物だ」という評判だけでは説明しきれないものを感ずる。

ただし中国では、ときに命懸けの仕事である硬派のジャーナリストをしている陳桂棣と春桃のような人物も、温家宝のことはほぼ無条件で信頼している。

温家宝は……地方視察につきそわせた地方幹部たちを悩ませることでもいちばんの人物でもある。農村のほんとうの状況を知るために、温家宝はしばしば地方の役人の体面などおかまいなく、さまざまな手を使って彼らの「封鎖」を破り、現実を粉飾しようとする連中の裏をかいている。

（『中国農民調査』131ページ）

しょせんは中国共産党の最高幹部にまで成り上がる人間を、そこまで信頼していいのかとも思う。だが「きっと温家宝が擁護してくれる」という思い入れがなかったら、陳桂棣・春桃夫妻だってこんなに危険な本を出版する勇気は出なかったかもしれない。

アメリカの金融当局が温家宝夫妻への贈賄容疑でドイツ銀行に罰金を課したのは、バイデン政権の発足直後のことだった。今や数少なくなっている習近平にとっての目の上のたんこぶの中でも、国民的な人気の点でピカイチの難物である温家宝の失脚にバイデン政権は協力するというサインだろう。

仮面の調整型国家主席習近平と人民解放軍少将彭麗媛夫妻

習近平というと副首相の息子として何ひとつ不足のない環境で育った太子党（二世政治家）の典型という印象がある。実際には文化大革命の渦中でまだ13歳のころに「走資派」副首相の息子として北京の中央党学校の校舎に仮設された「収容所」に入れられ、ほとんど食事も支給されないほどいじめられていた。

雨の中を脱走して家に帰り、「お母さん、腹が減ったよ」と言って濡れた服を着替えていたら、家を抜け出した実の母親によって地区のリーダーに通報されるという辛い経験もしている。母親だって「もし他人に、自宅に帰っているところを見たと通報されたら、家族全員が迫害される」と思って仕方なくできるかぎり早く自分から通報したのだろう。

習近平は空虚なスローガンが悲惨な体験をもたらすことについても、肉親でさえ信用できない状況に追いこむことについても、強烈な原体験をしているわけだ。彼は2度結婚しているが、どちらの相手も冷たそうな美人だ。ひとりめの夫人は駐イギリス大使の娘だったが、イギリスに移住してしまう。習近平にイギリスで暮らそうと誘ったが、習が断ったので離婚にいたったと言われている。

現在も少なくとも公式の場では夫婦としての関係がつづいている再婚相手の彭麗媛は、人民解放軍の軍楽隊付き歌手としては最高の地位を極めた、現役の少将だ。その出会いについては、富坂聰著『習近平と中国の終焉』（２０１３年、角川ＳＳＣ新書）を引用させていただこう。

１９８６年、友人を介して知り合ったのだが、当時すでに有名人であった彭はありのままの自分を見てもらいたいという理由で、「わざとみすぼらしい服装で出向いた」という。そんな彭に習は一目惚れする。後に習自身が語ったところによれば、「出会って40分で、もう『この人を妻にしよう』と考えた」そうだ。（同書１１４ページ）

有名人なら、どんな格好をしていようとその名前で判断されるだろう。なんでそんなクサい演出をするのか、意味がわからない。ふたりとも人間味の点で大いに引け目を感じているところがあるので、夫婦合作でハリウッド製のラブロマンスのような話に仕立て上げたのだろう。

習近平にとって共産党内の序列をよじ登るための、政治的な資産としての結婚相手だった可能性がかなり高い。彭麗媛にとっても共産党の若き幹部候補生の妻になっておくことは、決して損ではなかっただろう。夫妻の娘である習明沢はハーバード大学留学中に、父にとっては宿敵にあたる薄熙来の息子薄瓜瓜と親交があったらしい。

こちらは、中国版ロミオとジュリエットと言えるほどの真剣な交際ではなかったようだ。ただしハーバードを卒業して一度は中国に帰ってからの習明沢の消息は判然としない。アメリカに亡命を求めたという噂がある。もしそんなそぶりを見せていたとしたら、政敵に批判の対象とされないように自宅で軟禁状態にされているのかもしれない。

空虚な政治スローガンの裏側を熟知している夫と、景気のいい軍楽隊のレパートリーをウソとわかっていても確信をこめて歌わなければ「愛国歌のおばさん」としての人気に傷がつく妻。このふたりの関係は、あまり穏やかなものだったとは思えない。

興味深い事実がある。すでにご紹介した失脚した野心家薄熙来も習近平も父が「走資派」の副首相だったために、親子二代にわたって文革時代に悲惨な体験をしていた。にもかかわらず、ふたりとも文化大革命を非常に肯定的に評価している。

薄熙来が文革まがいの「打黒、唱紅（暗黒分子を打倒し、革命歌を歌おう）」というスローガンを打ち出したのは、党内の雰囲気が国家主席は調整型がいいという意向に傾いていたからだった。リーダー型の自分は、かなり派手な実績をつくらないと党内序列競争で脱落すると思ったのだ。彼は長老たちのあいだでは意外に文革支持派が多いと知っていて、かなりのギャンブルだと承知の上で文化大革命時代の革命歌を歌う運動をしてみたら、けっこう受けが良かった。そして突っ走りすぎて自滅したというわけだ。

習近平の場合は、もうちょっと複雑だった。薄熙来との出世競争に勝つまでは、前の胡錦濤国家主席・温家宝首相のコンビに「この男ならおとなしい調整型だから、国家主席にしてやったとたんに我々を追い落としたりはしないだろう」という理由で次期国家主席に推挽してもらっていた。

いや、もうひとつ、しかもかなり強力な理由があった。それは胡錦濤政権の前、趙紫陽国家主席時代に民衆にも共産党中央の開明派にも圧倒的な人気があった胡耀邦総書記の失脚にまつわる、薄熙来の父親・薄一波と習近平の父親・習仲勲というふたりの元副首相の角逐だ。

……新中国（中華人民共和国）の60余年の歴史を通じて、胡耀邦ほど人々から敬愛され、また後輩政治家からも慕われた政治家はいません。その胡元総書記の解任が決定づけられたのは1987年の党の生活会でしたが、その会議で先頭に立って激しく胡耀邦を攻撃したひとりが薄一波であることは政治家であれば誰もが知っていることです。……」

続けて党中央関係者が説明する。

「薄一波が鄧小平ら長老たちの意向をもとに胡耀邦総書記を追いこんだ生活会で、その主旨に反対した数少ない政治家が習近平の父・習仲勲でした。この会議では鄧小平の意思がはっきりしていて、さらに力のある長老たちが胡耀邦解任で動いていましたから、そのなかで堂々と反論を述べるのは非常に勇気のいる行為でした。……」

（同書110〜111ページ）

こうなるともう戦国大名の家臣団のなかで、「あいつの親父は苦戦している我々を見捨てて逃げ出した」とか「あいつの親父に血路を切り開いてもらったおかげで生き延びることができた」といった評定で自分の運命が決まってしまうのと同じではないか。いや戦国時代にはひんぱんに戦をしていたので、まだしも自分の実績で評価してもらえるチャンスは多かったかもしれない。

さて、調整型であまり開明派にもきびしくないとの思惑で擁立された習近平がいざ国家主席になってみたら、かなり強権を行使して前指導部の影響力を一掃しようとしている。とくに今なお国民的な人気を保っている温家宝に対しては、執念深く批判している。

その一例が薄熙来が失脚したときに、温家宝が言った「打黒、唱紅なんて、まるで文化大革命時代みたいだ」というコメントへの反応だった。「我が党の偉大な伝統にケチをつけるとはけしからん」とかみついたのだ。

つまり薄熙来も習近平も、文化大革命の積極評価に転じたきっかけは、思想信条でも個人的体験でもなかった。純粋に政治力学としてそのほうが得だからという理由で、文化大革命を評価するようになったのだ。

2021年の3月から4月にかけても、温家宝は亡き母の回想としてマカオの新聞に文化大革命の暗黒面を指摘した文章を寄稿した。この文章の末尾は「中国は公平と正義に満ちた国で、人を尊重し、自由で奮闘する気質があるべきで、そのために私も努力してきた」（日本経済新聞電子版、2021年4月21日付記事）と締めくくられていた。明らかに独裁傾向をむき出しにしはじめた習近平をあてこすっている。

習近平も、この記事をネット上から削除したり、閲覧・転送の制限をかけたりしている。温家宝が売ったけんかを習近平が買ったかたちだ。国民的人気ではとうてい温家宝の敵ではない習近平としては、ずいぶん大胆な行動を取ったものだ。これもバイデン政権から「温家宝追い落としに異議なし」のサインを得ているからこそできた決断だろう。

第5章

表面的には静かな陰の主役、民工と声高に不満を訴える都市戸籍保有者

共産党政権産みの親、農民の惨めな境遇

毛沢東の『人民戦争論』では「農村から都市を包囲する」と主役を割り当てられているのに、共産党政権樹立後の農民の生活は惨めだった。1958年に農家世帯が一斉に人民公社として集団化され、大躍進運動が始まった。

異常気象という不運にも見舞われたが、人民公社＝大躍進時代には3000万人から5000万人と推定される餓死者が出た。異常気象もさることながら、急激な集団化による労働意欲の衰退も深刻だった。犠牲者の中に本来なら食料には困らないはずの農民が多かったことも、強制的な集団化の誤りを示唆している。

文化大革命では都市在住の知識人が農村部に下放《かほう》されて苦労させられた。そのころの農民たちは、精神的に都市の文化人、知識人に対して優位に立てたという満足感はあったかもしれない。だが経済的には、自分たちの食い扶持《ぶち》を稼ぐだけでも苦労が多かったのに農作業に不慣れな都市住民を押しつけられて、ますます生活が苦しくなった農民が多かった。

そして改革開放経済のもとでも、農村に生まれ育った人たちの苦悩はつづく。都市に生まれた人たちは自動的に都市戸籍を持てるが、農村に生まれた人は、ごく少数の例外をの

ぞいて一生農村戸籍のまま暮らさなければならないことがその生活水準向上を大きく妨げている。

その制約がどれぐらいきびしいかというと、たとえば北京市では北京大学、清華大学のような超一流大学に入学すれば、農村戸籍から北京市戸籍への編入を許す特例措置がある。寒村出身の子どもたちにとって北京の一流大学に進学するのは、宝くじで高額賞金を当てるよりむずかしいだろう。

農村では働き口のない農民が都市に出たとしよう。すでにお伝えしたように、いつまで都市に住んでいても短期滞在者扱いしかしてもらえない。だから、きちんとした職業にも就けず、稼げる賃金給与も低いままということが多い。必然的に農村部に余剰労働力が滞留したままの状態がつづいている。その結果、第1章冒頭のグラフでもご覧いただいたとおり、都市住民の所得は農村住民の3倍というところまで格差が広がっている。

じつは、非農業従事者ひとりが農業従事者何人分の付加価値を生み出しているかというデータを見ると、中国の付加価値格差は東アジア諸国の中でも突出して大きく5倍を超えている。次ページのグラフが示すとおりだ。

中国だけが非農業従事者は農業従事者の5倍を超える付加価値を生み出し、タイの非農業従事者がほぼ正確に5倍、あとはかなり下がってインドネシア、ベトナムが3倍台の後

新興国の中でも農業生産性の低さで突出

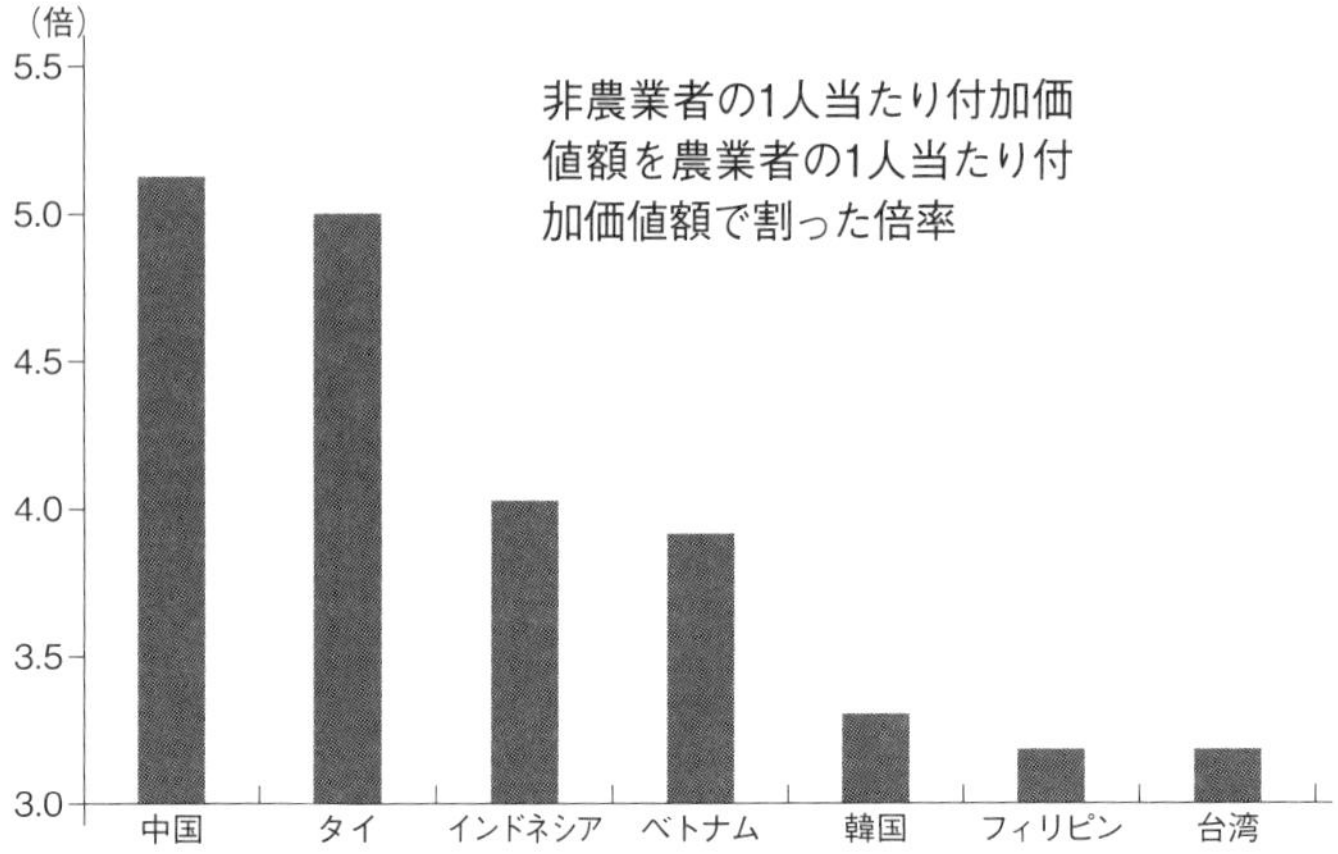

原資料：ADB、『Key Indicators 2009』より原著者が作成
出所：三浦有史『不安定化する中国――成長の持続性を揺るがす格差の構造』（2010年、東洋経済新報社）、71ページより引用

半、韓国、フィリピン、台湾が3倍台の前半となっている。

　このグラフと16ページの所得格差のグラフを見比べただけでは、中国の農民は生み出した付加価値の割に、所得が多すぎるのではないかと思われるかもしれない。だが、それは違う。非農業、とくに製造業の場合、1人当たりの付加価値には、多額の投下資本の貢献分もふくまれているからだ。

　もともと1農家当たりの農地も狭く、機械化のための資金も不足していたので、中国の農業生産は第二次世界大戦後もかなり大きく人力に依存した状態がつづいている。逆に言えば、たとえば日本の農業地帯のようにどんどん労働力が都市圏の工場などに流出していけば、貴重になった労働力を補うために小型農業機械の開発・普及にも力が入るはずだ。

実際には都市圏への流出に関する制約が大きかったので、なかなか農村部の過剰労働力は解消されず、いまだに農業機械の導入も遅れている。さらに肥料などの効果的な利用によって生産性を上げる努力は、教育水準の低さも桎梏となってなかなか進まない。

日本の農村では江戸時代中期から、実用的な農学が広く浸透していた。たとえば人糞堆肥は暗いところで十分バクテリア発酵させ、安全で匂いもほとんどなく、有効成分の濃度を上げたものを撒くといった知識は、ほとんど地域差もなく普及していた。

ところが高橋五郎著『農民も土も水も悲惨な中国農業』（２００９年、朝日新書）には「農民たちは無発酵のまま、いわば『ナマ』のままで畑にまくのが習慣で、それを最良の方法と信じて疑わないのである（87ページ）」と書いてある。こういう話題が出ると、すぐ中国人一般について「知的能力が低い」とか、「学習意欲が足りない」とか言いたがる人がいる。だが、それはまったく違う。中国の農村部では、いまだに学習の習慣を身につけることなく、働かなければならない人が多いのだ。

教育水準もなかなか上がらない

中国では、義務教育の小中学校は完全に無償ということになっている。しかし農村部では、実際には満足に学校にも通えず、働き始めてからも読み書きができないので事務系の仕事はまったくできない人たちが大勢いる。

悪徳幹部の横暴に憤激した人たちが、なんとか訴訟に持ちこんだとしよう。往々にして悪徳幹部のほうは裁判所まで抱きこんでいるので、自分たちに有利な証言をでっち上げて勝訴することも多い。しかし、下調べもせずにニセ証言をねつ造すると、当人が「読み書きもできないのに、こんな証言に署名できるわけがない」と主張してウソがバレてしまうこともある。

「義務教育が完全に無償の現代中国には、読み書きできない人間などいない。お前のほうがウソつきだ」などという建前論を振りかざしても、説得力がない。農村に読み書きのできない人が大勢いることは、周知の事実だからだ。

なぜいまだに読み書きができない人が多いのか。上からは日常生活のありとあらゆる場面について、達成しなければならない基準を押しつけてくるが、そのための予算は出ない。

小学校の校舎を例に取れば、以下の指示が出ている。

村で小学校をつくるときには、土壁をレンガ塀にし、レンガと木材の校舎をコンクリート製にしろといい、設備を標準化し、外壁はタイルにし、花壇をつくって環境を整備する。

（『中国農民調査』１１８ページ）

地方の悪徳幹部は、むしろこうした予算配分のない「基準達成」指令を歓迎する。地域住民の懐に直接手を突っこむ口実になるからだ。そして校舎は基準どおりにできようができまいが、協力金の徴収は進む。むしろ工事が進捗しないほうが、同じ理由で何度も協力金を取れるので歓迎しているかもしれない。

こうして、存在しているはずの小中学校はじつは校舎がなくて授業ができないとか、協力金も払えない貧乏所帯の子どもは授業を受けられないとかの事態が出現する。これが改革開放路線の定着以来40年以上も経っている中国農村部の「義務」教育の実態なのだ。

ふつう経済発展の進んでいる国では、就学率、識字率、平均寿命が１人当たりＧＤＰの成長率を上回るペースで伸びるものだ。ところが中国はこの点で、異常に歩留まりが悪い。

次のページのグラフをご覧いただきたい。中国、ネパール、インドネシアの３か国について、それぞれ１人当たりＧＤＰが１パーセント上がると、総就学率、識字率、平均寿命が何パーセント伸びるかをグラフ化したものだ。総就学率、識字率、平均寿命のＧＤＰ弾

GDP成長の福祉・教育効果は他の発展途上国より低く……
1980～2000年対2000～07年

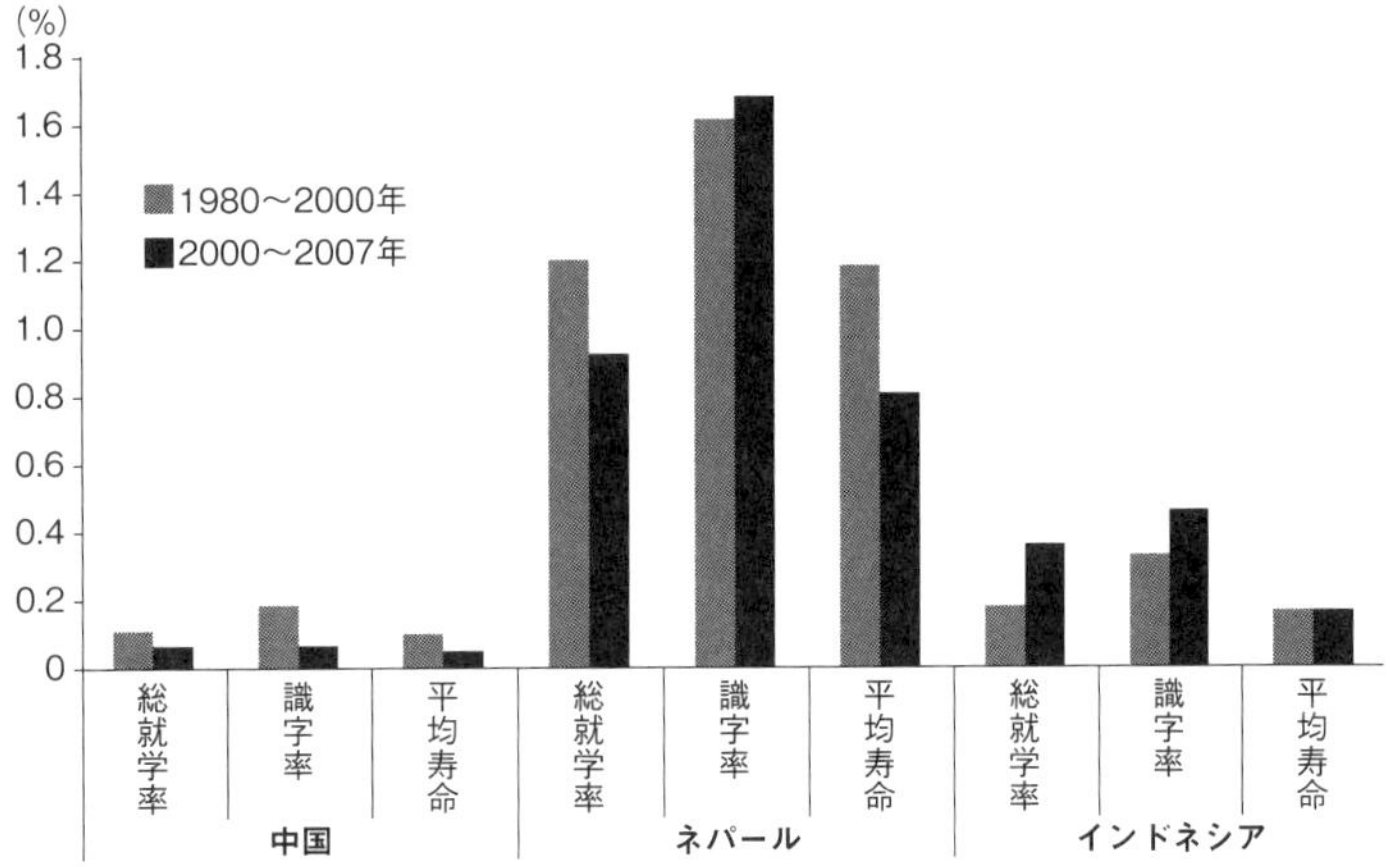

注：それぞれの期間の年平均伸び率／1人当たりGDPの伸び率。
原資料：（上）UNDP Webより三浦有史が作成
出所：三浦有史『不安定化する中国――成長の持続性を揺るがす格差の構造』（2010年、東洋経済新報社）、43ページより引用

力性と言ってもいいだろう。全体として、ネパールが大健闘し、インドネシアは低調、中国にいたっては、ほとんどなんの効果もないと言えるほどお粗末だ。

ネパールは２０００年以降、総就学率と平均寿命が１人当たりＧＤＰ成長率よりやや悪くなったが、それ以外の部門・期間では１人当たりＧＤＰ成長率を上回る伸びを示していた。また20世紀最後の20年間でも効率の良かった識字率改善のペースは、21世紀に入ってまた一段と加速している。

インドネシアはネパールに比べると、かなり見劣りがする。救いは21世紀に入ってから、総就学率と識字率の伸びが加速していることだろう。平均寿命の伸び

率が低水準横ばいなのは気がかりだが。

そのインドネシアよりはるかに悪いのが中国だ。３つともコンマ何パーセントという低水準から、かろうじて１パーセント台にとどまっている。さらに、すべて１９８０～２０００年より、２０００～07年のほうが伸び率は下がっている。

おそらく20世紀中は都市にも義務教育の時期に就学できないとか、読み書きできないとかの人たちがいたが、さすがに21世紀に入ると都市ではそういう人たちがいなくなっていたのだろう。そこで１人当たりＧＤＰは伸びても都市部ではそれ以上総就学率や識字率は上がらなくなっていた。

しかし農村部にはまだまだ読み書きができない人たちが残っているのに、総就学率も識字率もほとんど上がらなかった。そもそも１人当たりＧＤＰ自体が、農村部ではほとんど伸びていなかったということかもしれない。

それにしても不思議なことがある。世界中どこの国を見ても、平均寿命はまだ人類はもうこれ以上長生きすることはできないという天井に達してしまったわけではない。しかも中国の平均寿命はトップグループの83～84歳にはほど遠い76・４歳だ。

それなのに都市・農村ひっくるめて、１人当たりＧＤＰの上昇による平均寿命の伸び率があまりにも低い。農村部の貧しさに加えて、都市部、とくに工業地帯の公害のひどさも一因だろう。

都市戸籍保有者、民工、農村住民の所得はどのくらい違うか?

現在約14億人の中国の人口を、戸籍と居住地域でわけてみよう。じつは中国政府の公式統計では、このへんのごく基礎的な人口区分さえきちんと公表していない。だが川島博之などの研究にもとづいて推計すると、ほぼ以下のとおりとなる。

都市戸籍を持つ都市住民が約6億3000万人、民工と呼ばれる農村戸籍のまま都市に住んでいる人たちが約2億5000万人、そして農村戸籍を持って農村に住みつづけている人たちが約5億9000万人だ。この人たちのあいだでの所得格差はすさまじい。

大ざっぱに言って、民工の年収は米ドルに換算して約8600ドルで、おそらく4300ドル程度に過ぎない農村居住者の2倍にはなっているはずだ。都市戸籍を持つ都市住民の年収は1万6400ドルで民工の約1・9倍、農村居住者の3・8倍ぐらいだろう。つまり経済面では、都市戸籍保有者が一級国民、民工が二級国民、農村居住者が三級国民となる。

都市戸籍保有者はポーランド、クロアチアなどの東ヨーロッパの中級国程度の生活水準をすでに達成している。民工はセルビアのような東欧低所得の国、ガボンのようなアフリカとしては高所得国並みの生活水準、それに対して農村居住者は最貧国の平均よりはややマシ程度の大変な所得格差がある。

だが政治社会的な権利という点では、何十年都市に住んでいても出稼ぎに来ているだけで居住地は農村ということになっている民工のほうが、農民よりさらに抑圧された立場にある。

たとえば民工同士の夫婦に子どもができても、建前上は完全無償となっている小中学校の教育は、郷里の祖父母のもとに預けなければ受けられない。夫婦の居住する都市では正規の義務教育ではなく、施設も教師もお粗末な私塾に高い授業料を払って通わせなければならない。つまり政治社会的には、農村居住者が二級国民で、民工が三級国民ということになる。

それでも農村戸籍保有者たちは都市に移住しようとする。昔は「盲流（目的地もはっきりわかっていない人たちの流動）」という、彼らの行動様式に対する差別意識がむき出しの表現を使っていた。さすがに最近では「民工潮（農村からの出稼ぎ者が津波のように押し寄せる）」という、いくらか差別意識の少ない表現に変わっているが。

なぜだろうか。もちろん貧しい人たちの大部分が、少しでも経済的に豊かな生活をしたいという欲求を持っている。農村では豊かな暮らしをするチャンスはかぎられているので都会に出ようとする。

ただ中国の場合、もうひとつ大きな動機がある。それは、あまりおいしい利権が回ってこない貧しい村になるほど、権力を握った人間はそれでなくても貧しい村民たちから暴力的にカネとか農作物とか土地とかを巻き上げるからだ。しかも、たいていの場合、警察、検察などの公安当局は、完全にボスたちに取りこまれてしまっている。だから暴力的な収奪に抗議すると、抗議したほうが刑罰を受けることになる。

貧しい村ほどむき出しの暴力支配下に置かれる構図

根本には、そもそも経済合理性のない利権分配組織を守ろうとすれば、末端に行くほど大勢の党官僚・地方政府官僚を配置しなければならないという事実がある。陳桂棣は『中国農民調査』で、こう解説している。

誰かが冗談口をたたいて言った。

「郷鎮政府は外交省以外、中央の国家機関と同じ組織がそろっている」と。

……ふつうの郷鎮組織には二、三〇〇人からの人がおり、経済発展した地区では八〇〇人から一〇〇〇人もの人をかかえている。これらの人員は一銭の利益も生み出さないが、給料は取り、ボーナスももらっている。人件費ばかりではない。飲食費に住居費、オフィスビルや職員住宅を建設し、車両を配備し、電話を設置し、携帯電話も用意する。……

農民たちは自嘲してこう言う。「一人の農民に数十人の役人がぶら下がっている」

（同書121ページ）

なお郷鎮とは、日本で言えば村に当たる行政単位のことで、陳桂棣は中国の行政組織は中央、省・自治区・直轄市、市、県、郷鎮の5階層になっていると述べている。中央集中制が徹底している中国では、地域も狭く人口も少ない市が県の上に立ち、県は市の指導を受けるという構造になっている。

日本もふくむほとんどの国では、行政組織は3階層になっている。日本なら中央政府、都道府県、市区町村だ。アメリカは連邦政府、州、郡、市町村の4階層だ。郷鎮政府の下は日本で言えば集落に当たる村ごとに村民委員会が組織されているが、これは行政区画ではないので5階層と言っている。

ただ、この点については川島博之の作成した次ページの模式図で見るとおり、6階層と見たほうがいいだろう。

中国社会階層解剖図

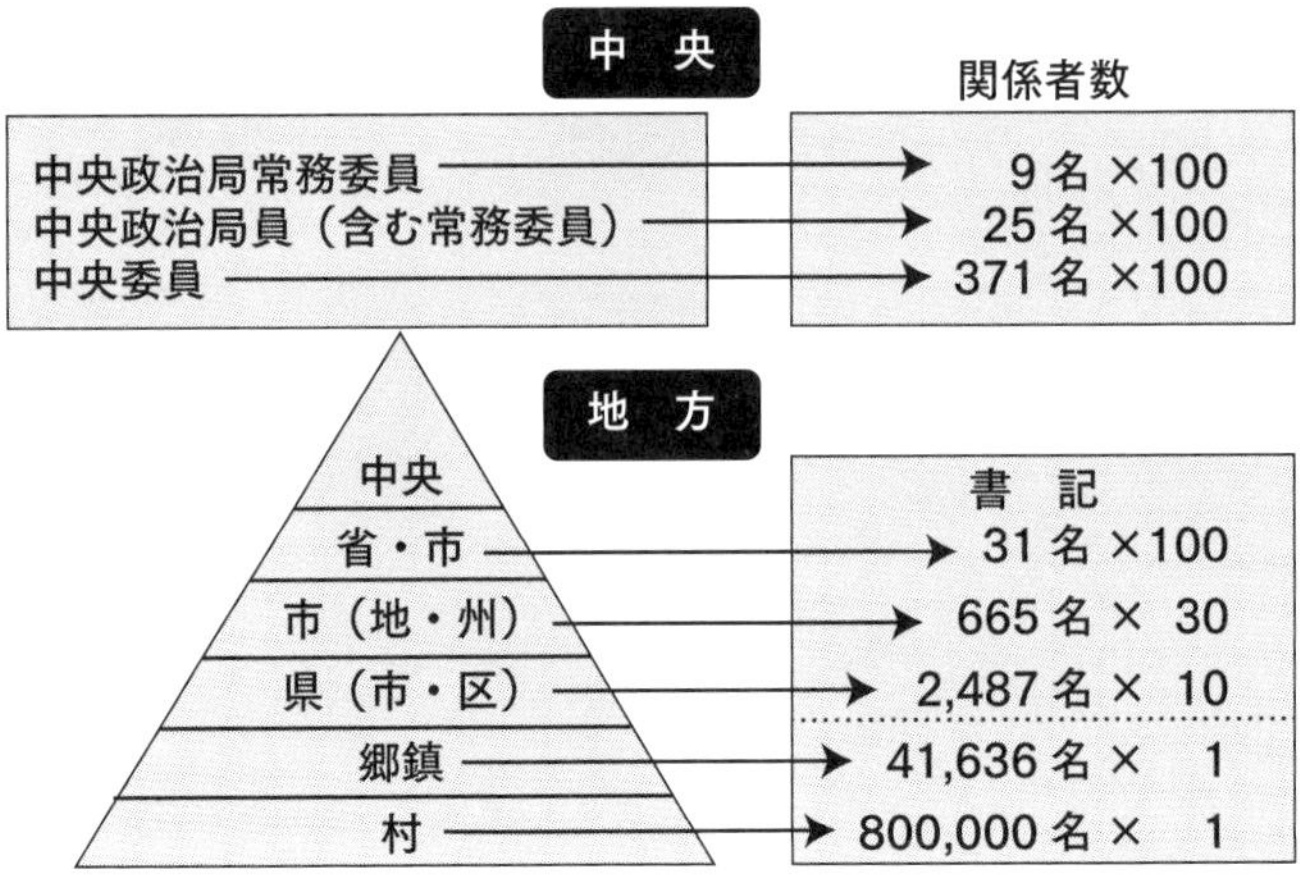

原資料：リチャード・マグレガー『中国共産党――支配者たちの秘密の世界』（2011年、草思社）中のデータより川島博之が構成
出所：川島博之『データで読み解く中国経済　やがて中国の失速がはじまる』（2012年、東洋経済新報社）、215ページより引用

行政区画として公認されているか、いないかは本質的な問題ではない。それより重要なのは、経済活動にはほとんど貢献していないのに地域の住民にたかる冗員の人数だろう。その典型である書記の人数という視点から言えば、郷鎮が4万人強なのに対して村（村民委員会）は約80万人と圧倒的に数が多い。書記と名のつく役職のあるところ、必ず利権ありだ。

田代秀敏著『中国に人民元はない』によれば「中国では、権力と権利と権限とが、あまりはっきり区別されず、あたかも同義語であるかのように用いられる（同書31ページ）」そうだ。権利をひっくり返した利権もふるまう側からすれば当然の権力ないし権限であり、ありつく側からすれば当然の権利なのではないだろうか。

悪徳幹部たちの肖像その1　たんなる悪党だった張桂全

安徽省固鎮県唐南郷の小さな村、小張庄の「副村長（正式な役職は党委員会副主任）」だった張桂全は、非常にわかりやすい悪党だった。村民委員会の実権を握り、息子だけで7人という家族の力を頼りに、村民のありとあらゆる行動に自分の独創にかかる税金を取っていた。4男の張四毛という名前にも、党中央の「ひとりっ子政策」など屁とも思っていない傲慢さがあらわれている。

たまりかねた村民12名が連名で郷の党委員会と村の党支部書記に村政府の帳簿査察を願い出ていた。１９９８年2月、ついに郷の党委員会が重い腰を上げて、直訴農民たちに小張庄の財政を全面的に監査すると伝えた。ところが張桂全は先手を打って、2月18日に12人の民衆代表のうち3人をふくむ4人を殺害し、ほかのひとりにけがを負わせた。

わかりにくかったのは、固鎮県の党委員会と政府も唐南郷の党委員会と政府も、この事件の背景を調べようともせず、明らかに殺人を犯した張桂全親子を、村民同士のけんかでたまたま死者が出てしまっただけの過失致死として処理しようとしたことだ。村民たちがこれに憤激して押しかけたときには、県の党委員会と政府の指導者たちは姿をくらましてしまった。
怒りが収まらない村民たちが村の党支部書記に指定された場所に集まると、郷政府の主要メンバーが村民たちの口を封じようとした。その理由は、張桂全親子が逮捕されていたので調べやすくなった村の帳簿の中から徐々にわかってきた。

村の幹部が起こした経済問題が次々と明るみに出てきた。小張庄の問題は張桂全一人だけにあるのではなかった。村の党支部書記、党委員会主任、会計係も決してきれいとはいえない。彼らは今回の監査を恐れ、抵抗しようとしたが、なにしろ県政府が統括する部署であり、小張庄の監査チームも郷政府が決定したものだ。いくら恐れても、恨んでも、あわてても、張桂全のように殺人などという愚挙に出るわけにいかない。だがそのうち、県、郷の党委員会と政府が監査のことを言わなくなった。張桂全親子の殺人事件もできるだけ隠そうとしていることに、彼らは気づいた。そうしてまた大きな顔をしだした。

（『中国農民調査』50〜51ページ）

ようするに県のトップ以下、みんなが同じようなことをしていて、殺人事件を追及するより自分たちの過去の不正を隠すことで利害が一致していたのだ。そして逮捕されなかった張桂全の息子たちが村民を威嚇し、犯罪を告発した人たちや被害者の遺族がおびえて暮らさなければならなくなった。

しかも国レベルの司法機関であるはずの人民検察院や人民裁判所まで、この隠蔽工作に荷担していた。この状態が解消したのは全国放送のテレビ局や新聞雑誌の記者たちが現地を探訪して、真相を報道するようになってからだった。

悪徳幹部たちの肖像その2　ずっと闇が深い王俊彬

安徽省臨泉県白廟鎮は、安徽省で一、二を争う寒村だった。その寒村に生まれ、6歳に成長したときには文化大革命の混乱は収束していた王俊彬《おうしゅんひん》は、まだ高校も卒業していない18歳のとき、人民解放軍に入隊し、共産党にも入党した。党の決定に従い、人民の利益を守ることこそ共産党員の使命だと信ずる熱血漢だった。

１９９４年10月、すでに臨泉県党委員会書記、張西徳を告発していた王俊彬は自宅のある王営村に戻れず、近くの村に潜伏していた。地元の王営村党支部書記で横暴な「徴税突撃隊」を率いてすさまじい重税を農民にかけている高建軍を訴えても白廟鎮では取り合ってくれなかった。臨泉県でも門前払いを食わされたので、他の村民ふたりとともに、北京まで直訴に行った結果、党籍を剥奪され臨泉県公安局によってお尋ね者にされてしまっていたからだ。

半年前の4月には公安と武装警察１００人が、王営村を襲撃して、逃げ遅れた人たちに暴行を加え、直訴人たちの家を徹底的に破壊するという事件も起きていた。ほぼ無差別に村民やたまたまよそから来ていた人12人が逮捕され、拷問としてはめられた足かせの代金まで徴収されるという、公安や警察がやることかとあきれるほどでたらめな事件だった。

１９９５年、３年間で5回目の北京への直訴がやっと実を結んで、張西徳は左遷され、身を隠していた王俊彬も晴れて王営村に帰り、凱旋将軍のような歓呼の声に迎えられた。党籍も復活した。こうして話はハッピーエンドで終わるはずだった。そうはいかないのが、中国農村の怖いところだ。

信じがたいことが臨泉県白廟鎮王営村で起きていた。王営村の農民たちが送ってきた八〇〇〇字にもおよぶ手紙はこんな言葉で始まっていた。

「二一世紀を迎え、中国の法整備が進むいま、わが王営村の村民の民主的権利、財産権、生存権はいまだにひどい侵害を受けています。白廟鎮党委員会副書記李俠《りきょう》、鎮民政主任周占民《しゅうせんみん》、党支部書記王俊彬の非道をここに訴えます！」

王俊彬の名前を見て、私たちは仰天した。……

王営村が「やむにやまれず集団直訴を行った」ときにリーダーになった人間が、どうして直訴される側になったというのか。……

　手紙を読んだあと、心がひどくざわついた。王俊彬の身の変わりようは、私たちを苦しめ、悩ませた。

　いまの中国の農村に残る旧体制は、「底なし沼」のように、いったんはまったら最後、人間を変えてしまうのだろうか。

（同書279ページ）


　このあと『中国農民調査』に王俊彬が登場することはない。なぜそこまで変わってしまったのかもわからない。だが民衆のために仕事をするには、もっと大きな権限が欲しい、もっと大きな権限を持つためには、党内のワイロの輪にも入らなければならない……というかたちで、ずるずる転落していったのではないだろうか。

　ひとりの人間がなぜ、どう変わっていったのかについて、その心の奥底まで探ることはできない。だが、どうしたら中国の農民たちを救えるかについてなら、陳桂棣と春桃は明快な答えを持っている。

　膨大な数の農民を土地から解き放して市民化しなければ中国の近代化は完成しない。いま中国の都市は億万の出稼ぎ農民にとって終の棲家ではない。絶対多数の人はさすらいの生活の喪失感にさいなまれている。「都会の人と同じように寝起きする」などはありえない。政府から預かった職権を利用する人間に、彼らが食い物にされている。

……

無数の出稼ぎ労働者が血と汗を流し、都市の建設と繁栄を支えるために働いている。だが一部の都市住民が農民たちに教えているのは、「金持ちには血も涙もない」ということだ。同じ空の下、人間同士が持つべき平等、助け合い、友愛、尊重、謙譲といった感情は、こうした非情によって徹底的に打ち砕かれ、いささかの同情や哀れみさえ残されないのである。

（同書275ページ）

ひとことたりとも、変える必要を感じない結論だ。残念ながら都市戸籍保有者たちがこの叫びに耳を傾けるかとなると、悲観的にならざるをえないが。

群体性事件に希望の芽はあるか

都市戸籍を持って生まれついた人たちは、経済的にも政治社会的にも、一級国民だ。総数約6億人にのぼる彼らは、利権社会主義大国中国で人口ベースから見て最大の利権グループを形成していると言えるだろう。

共産党幹部たちにとって頭が痛いのは、この都市戸籍を持つ都市住民たちが自分たちは利権集団であって、共産党一党独裁が崩壊したら、もっと平等に近い立場で農村戸籍の持ち主たちと競争させられるという認識をあまり持ち合わせていないことではないだろうか。

中国でも時おり群体性事件と呼ばれるような社会騒擾が起きる。たいていは「いいご身分」の都市戸籍保有者たちが、こうした事件を起こす不穏分子の大半を占めている印象があった。

政府・共産党の立場に立てば「お前たちはもっと分配されている利権のありがたみを認識して、現体制の擁護に協力しろ」と言いたいところだろう。だが一応は社会主義国を名乗っている以上、あまりおおっぴらにそうは言えない。

結局のところ、中国社会の激動は、憤懣が鬱積しているはずの民工たちではなく、大国有企業の破綻に始まる連鎖破綻と、これまで優遇されてきた都市戸籍保有者の中で家計破綻に陥った人たちが惹き起こしそうな気がしていた。また家計破綻の萌芽は、大都市圏マンション価格の値上がり率鈍化にあらわれているとも見ていた。

現在、都市住民にとって最良最大の蓄財手段だったマンション投資の利回りが確実に低下している。中国の都市在住世帯は、一家で2～3戸の分譲マンションを買ってローンを払いながらマンションの値上がりを待ち、値上がり率の高い物件の売却益で住みつづける物件の残債を消すという行動様式を取ってきた。

この方針をつづけていると、まだ家を持っていない世帯の数が減少するにつれて、複数

中国住宅ローンの対象物件別内訳
2008年～2018年第1四半期

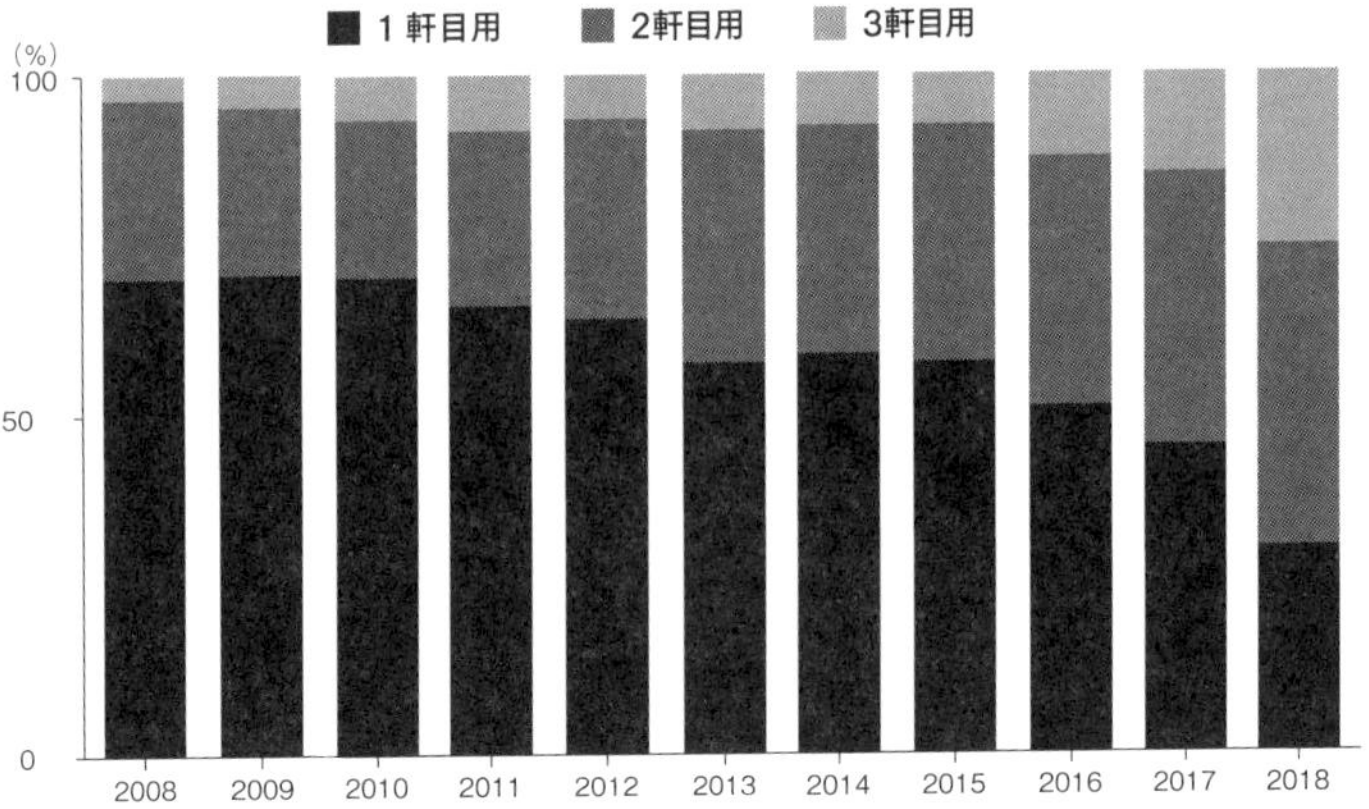

3 軒目用ローンのシェア、史上最高の25％弱に達す

原資料：中国個人世帯向け金融のための調査研究センター
出所：ウェブサイト『Zero Hedge』、2018年11月12日のエントリーより引用

のマンションにローンを払いつづけても、どの物件からも値上がり益が出ず、結局ローンが払いきれずに家計破綻に陥る世帯が激増する。上のグラフでおわかりいただけるように、その兆候はすでにあらわれている。

そして中国の人口構成は、成人のうちに占めるひとりっ子政策時代に生まれた人たちの比率が高まるにつれて、夫婦どちらかの親からマンションを受け継ぐことができる世帯が増え、マンション新規購入需要が激減する局面に入っている。

にもかかわらず、中国の住宅市況は表向き堅調だ。２０２１年４月16日付の日本経済新聞はこう報じている。

不動産価格の上昇を生み出すのが実

需なら、恩恵を受けているのは地方財政だ。

中国では地方政府が最終的に土地を売却する。中国を代表する大都市の広東省広州市、福建省福州市、陝西省西安市の２０２０年の総収入に占める土地売却の割合は50～60％台にのぼる。中国全体の売却額は８兆４１４２億元と、日本の国家予算を上回る規模だ。

不動産市況が崩れれば、金融システムのみならず財政も破綻する。20年以降、各地で不動産の販売条件は厳しくなった。銀行は金融当局の指示で不動産融資の絞り込みを始め、広州市は４月に住宅ローン金利を引き上げた。政府が崩さないと感じているからこそ、中国人の心理には土地神話が宿る。

まさに第２章でご紹介した土地の錬金術が、そのまま通用している世界だ。だが日本の地価バブル絶頂期にも「銀行業界がこれだけ貸しこんでしまって上がった地価だから、もう大蔵省（現財務省）は銀行破綻が怖くて地価を下げられない」などとまことしやかに言う人がいたのを思い出す。役人がどうあがこうと、下がるものは下がる。

わからないのはタイミングだけだ。そのタイミングも、そろそろ5年とか10年ではなく、2～3年のうちにやってくるのではないか。

群体性事件についても、今までの主として都市住民が起こしているという見方は、間違っていたと感ずる。膨大な数の群体性事件について、実情を調査した『中国農民調査』の対象となったのは、安徽省で起きた事件だけだ。GDPに占める比率はわずか2・7パーセント、人口も5950万人で総人口の4・5パーセントに過ぎない。

その安徽一省で起きた事件が、A5判、2段組でびっしり300ページに達しようというのだ。全省・自治区・直轄市の群体性事件を網羅したら大変な数になるだろう。そして、その大半はメディアの眼が届かない農村部で起きていたのではないかという気がする。

星野博美著『愚か者、中国をゆく』(2008年、光文社新書)に印象的な場面がある。上海から重慶に行く列車に、重慶出身の女子大生と乗り合わせたときのことだ。

深夜、貴陽のすぐ先の小さな駅でどやどやと乗ってきたグループが午前3時を過ぎても、大声で話しつづけている。かなりきつい調子で「いま何時なんだ⁉」と怒鳴ったが、「3時20分」と悪びれない答えが返ってきた。その後、通じるか通じないかわからない英語でなんとか「静かにしてくれ」と言ったら、やっと話をやめてくれた。

翌朝、乗り合わせた女子学生に「昨日の晩、英語で叫んでいたのはあなた?」と聞かれて、てっきりとがめられると思ったあとの意外な展開を引用しよう。

やっぱりあれはまずかったよなあ、と顔から火が出そうだった。

「どうもありがとう」

「何？」

「私もものすごく腹が立っていたんだけど、怖くていえなかった。あなたがいってくれて助かった」

「そうそう、私も怖かったの。すっきりした」ともう一人の女の子が会話に加わってくる。

「何が怖いの？」

「知らない田舎の人だし、何をされるかわからないから」

驚いた。いまどきの中国の都会の女の子は、かくも奥ゆかしいのだ。

（323～324ページ）

おそらくたんなる奥ゆかしさではない。今どきの中国の若い女子学生は、自分たちの特権的な立場と「田舎の人たち」の暮らしている世界との違いを感じ始めているのだ。もう一度、農村から都市を包囲される可能性も。

第6章

アメリカに中国を切って生き延びる道はあるか

アメリカにとって中国に勝るカモはいるか

利権集団としての国有企業群は、経済的にはとんでもない重荷だ。その重荷を背負った中国経済は間違いなく破綻する。それも1～2世代といった悠長な時間枠の中ではなく、短ければ今後5年以内に、長く見ても10年は保たずに崩壊するだろう。

アメリカの金融業界はそのときまでに、中国に代わる丸々太っておいしいカモを見つけ出すことができるだろうか。どう考えてもインドやブラジルや、ましてロシアがそうならないことはほぼ確実だ。インドネシアもむずかしいだろう。なぜむずかしいかをわかりやすく教えてくれるデータがある。次ページのグラフをご覧いただきたい。

まず印象的なのは12か国そろって、ずいぶん米ドル建て債務が増えていることだ。だがその中でも、中国はこのグラフの最終年次２０１７年での金額の多さでも、伸び方の急激さでも群を抜いている。２００９年ごろまではほとんどゼロに近い少なさだったが、国際金融危機直後から激増し２０１７年には４６００億ドル、日本円にしてほぼ確実に50兆円を超えていた。

中国としては「世界経済の救世主」といったおだてに乗って、投資と輸出を２本柱とす

新興12か国の米ドル建て債務推移（単位：10億米ドル）2001～17年

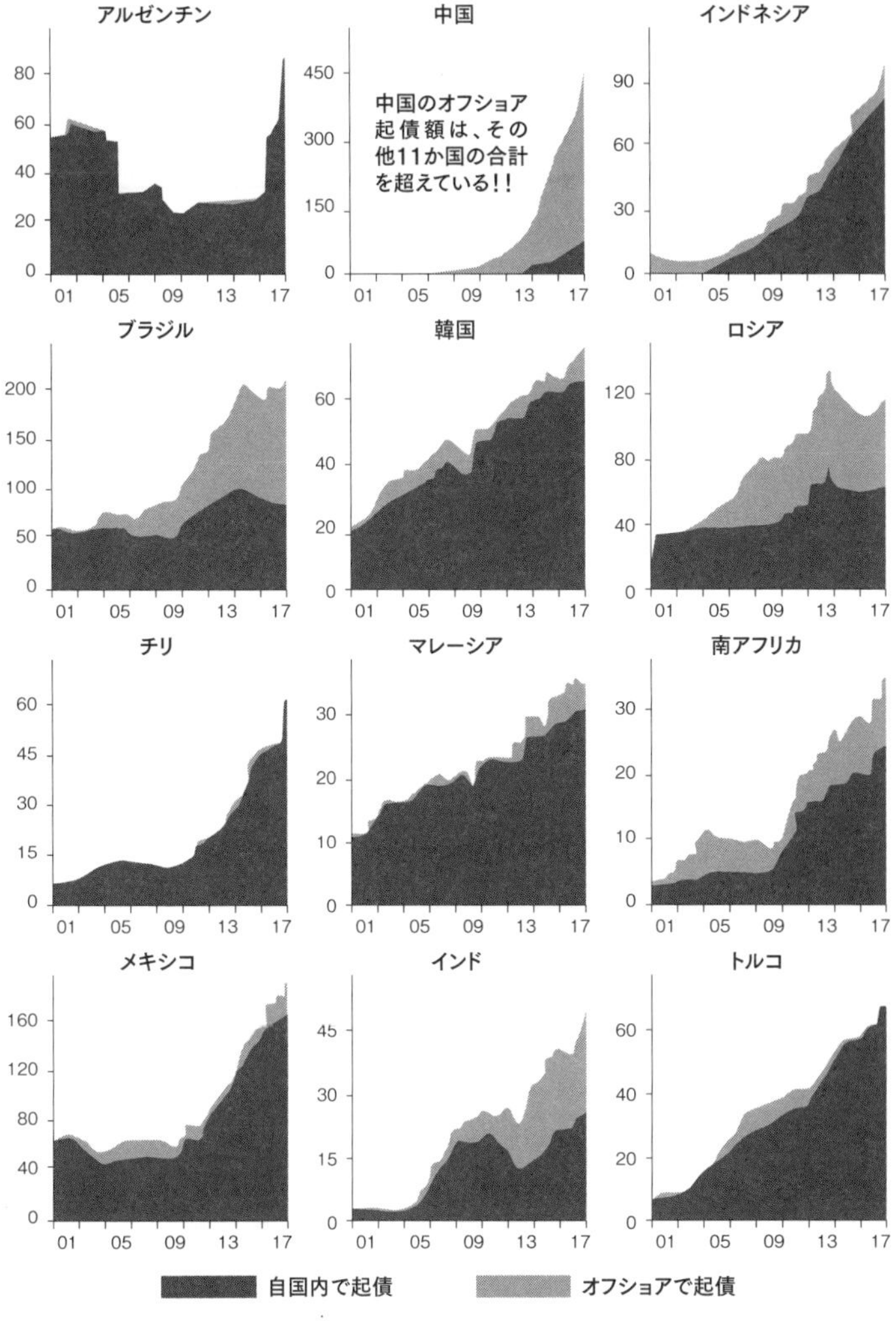

注：オフショアとは、当該国を本拠地とするノンバンク金融機関が、自国外で起債した米ドル建て債務を指す。
原資料：ディーロジック、ユーロクリアー、トムソンロイター、TRAXのデータから国際決済銀行が算出
出所：ウェブサイト『Zero Hedge』、2018年9月3日のエントリーより引用

る、資源浪費型の高成長路線を突っ走ったわけだ。このころから世界中の金属資源の4～5割を中国一国で消費して工業製品化し、できたものを海外に輸出したり、自国内のインフラ整備や不動産開発に投入したりしてきた。

輸出して代金が回収できたものは、まだしもマシだ。採算や効率より利権分配を優先する国有企業によって、国内に投下された工業製品はたんなる資源浪費に終わったものも多い。通れない道路、渡れない橋、住めない高層住宅群、テナントのはいらない巨大オフィス・商業複合施設などに化けてしまって、国民の生活水準向上に何ひとつ貢献していない場合もあるからだ。

投下資金が回収できようとできまいと、借りたカネは返さなければならない。だが中国には、この膨大なドル建て債務が返済できるのだろうか。この視点から考えると、同じようにドル建ての債務となっていてもオンショアとオフショアではまったく意味が違うことに注意が必要だ。

債券の買い手とは、カネを貸してやる側のことだ。オンショア、つまり自国内で募集した場合、貸し手もまた自国内の個人や企業という場合もかなりある。

とくに自国経済が脆弱で、インフレや自国通貨の為替レート低下がひんぱんに起きる国では、返済されたころに元本価値が目減りすることを懸念する国民が多い。そうすると同じ国の人同士でも、貸し手は自国通貨建てよりドル建て債券を選ぶことがある。

オフショア、つまり自国以外の金融市場での調達がほとんどないアルゼンチンなどはその典型だろう。まあ、何度も国債の債務不履行などをしていて、海外の投資家にはあまり相手にしてもらえないのも事実だが。ただ国富の流出という観点から見て、ドル建て債務だが貸し手も借り手も同国人となれば、支払われた金利は自国内にとどまることになる。

その点、中国のドル建て債務は圧倒的にオフショア分が多い。ドル建て総債務約4600億ドル中の約3800億ドルがオフショア起債分だ。ほかに1000億ドル台に達しているのは、ブラジルの約1300億ドルで、そのほかの10か国はずっと少額にとどまっている。中国一国のオフショア米ドル建て債務は、ほかの新興国11か国が束になってかかっても敵わないほど大きい。

これは海外投資家からの信頼度も高く、オフショアの起債がしやすい強い経済だからこそできることだと言っていいのだろうか。一応は、そう言えるだろう。

だが、それだけ強い国がなぜ自国経済を循環させるためにオフショアで海外投資家から資金を借りなければならないのかという疑問が残る。借りたカネに対する金利は必ず支払わなければならず、オフショア債務に支払う金利はほぼ全額海外に流出するからだ。

しかも2020年には、ついに中国が対外直接投資受け入れ国のトップに立ってしまった。この年に中国が受け入れた対外直接投資は、1630億ドルに達し、2019年の1400億ドルから16パーセント伸びていた。アメリカはコロナ危機による経済活動の低下が深刻だったこともあり、2019年の2510億ドルから、2020年の1340億ドルへと、一挙に47パーセントも低下していた。

この逆転自体は一過性だろう。アメリカへの直接投資がコロナ禍で激減したことが主な理由だからだ。おそらくアメリカは2021年には最大の直接投資受け入れ国の座を取り戻すだろう。

アメリカの場合、巨額の経常赤字が定着しているので、国内でカネのかかることをやろうとしたら、海外からの投融資に頼らざるを得ない。だからこれは、ごく自然な成り行きだ。

中国が対外直接投資受け入れ国のトップに立ったことについては、なぜカネならたっぷりある国が海外からの投資を呼びこまなければならないのかという、オフショア米ドル建て債のケースと同じ疑問にぶつかる。いや、債務の場合は約定どおりに金利を払い、元本を返済すればいいわけだ。だが直接投資を呼びこむのは、海外投資家を企業の持ち主の一部として受け入れることを意味する。

2016年年初の段階でも諸外国の企業が中国内に保有している資産の総額は、200

0億ドル弱にとどまっていた。2018年末でも、4000億ドル台の前半だった。それが2020年末には、ほぼ確実に8000億ドル台前半に達してしまった。日本円にして約90兆円という莫大な金額だ。

大部分が、諸外国の大企業が中国に設立した現地法人の資産か、やはり諸外国の大企業による中国系の企業への資本参加だろう。外国企業は、中国内で保有している資産からどの程度の収益を期待しているのだろうか。

新興国に対する投資案件としてはかなり控えめな、4～5パーセント程度の投下資本利益率を想定しているとしよう。それでも毎年4兆円前後のカネが海外企業系現地法人の利益や中国系企業の海外株主への配当として出ていくわけだ。

まっとうに経営されている企業ならほぼ確実に、支払い金利より高い利回りになるはずの配当を出し、成長するにつれて増加する自己資本の一部をずっと海外株主に持たれていることになる。諸外国から得た経常黒字を自国企業の成長のために使えるはずの国なら、まず得にならないことを延々とやっているのが中国なのだ。

この理由は、すでに第1～2章でご説明したとおりだ。経済効率は非常に悪いが、統治機構としてはとても効率的な国有企業群に国内貯蓄の大部分を利権として分配してしまっている。しかも、その国内貯蓄がすさまじい高水準で推移しているのだ。

中国ほど国民に巨額の貯蓄をさせている国は少ない。国民経済計算ベースで見ると、1980年には30パーセント台半ばだったものが、21世紀に入ってからは50パーセント前後の水準を維持している。それだけの貯蓄をさせておきながら、その貯蓄を国内経済の発展に使わず、利権分配に使ってしまう。

だから自国内で成長する企業が必要な資金は、海外からの投融資に頼らざるを得ないのだ。その結果、約2兆ドルの対外純資産を持っている中国が金融所得収支では赤字という珍妙な立場にある。

逆にアメリカは約8兆ドルという莫大な借金を抱えている。そのアメリカが、中国からほぼゼロ金利で借りたカネを高金利・高配当で中国に又貸しできるので、金融所得収支で黒字を出している。たんに金融所得収支で黒字だというだけではない。製造業の地盤沈下とともに慢性的な不況に陥った日本やヨーロッパの金融業界を尻目に、アメリカの金融業界は好収益を維持し、中国への又貸しが定着してからは利益率も急上昇している。

今、中国という国が地上から姿を消してしまったとしよう。中国のように潤沢な国内資金を利権ばら撒きに浪費して、自国内の成長産業のための資金調達を外資に頼りっきりという国が出てくるだろうか。まず無理だろう。そして中国という利権社会主義大国の存続なしには、アメリカ金融業界の好調を持続することも不可能ではないか。

それなら、アメリカに中国経済の破綻を防ぐ道はあるのだろうか。自国民の生活水準を大幅に落としながら、中国国有企業の積み上げた不良債権をある程度の損失を吸収しながら整理してやるといった、非現実的な経済政策を実施すれば可能かもしれない。だが、そこまで中国に肩入れしても、コストに見合う収益が返ってくるとは思えない。

アメリカ経済は、ドルが基軸通貨であるという特権を維持してきた。この特権にも助けられ、中国という利権社会主義大国の延命願望にも助けられて、これまではなんとか莫大な対外債務を抱えながら、金融所得収支では黒字を確保してきた。

だが、もし基軸通貨という特権を失ったとしたら、アメリカ経済には短期的な崩壊か、長期にわたるゆるやかな衰退か、それ以外の選択肢はなさそうだ。いや、そもそも基軸通貨のうま味を発揮できるのは、これだけ低金利が定着しても成長性の高い企業が資金調達に苦労している中国のような特異な国に対してだけかもしれない。

全面監視社会の悪夢を実現した中国

一見順調に国際社会における存在感を高めている中国は、社会経済情勢としては大変危険な状態にある。この事実は、中国の社会情勢にほんの少しでも興味をお持ちの方なら先刻ご承知だろう。具体的には全面監視社会の悪夢を実現していることだ。この点では、中国は世界の最先端を行っている。次ページの表がその証拠だ。

人口1000人当たりの監視カメラ台数で世界のトップ30を並べると、うち25都市が中国にある。残る5都市はインド2、イギリス、イラク、ロシアが各1となっている。トップ10に絞ると、ロンドンが第3位に入っている以外は全部中国の都市だ。

中国都市の監視カメラの多さで気がかりなのは、どちらかと言えば犯罪指数は低いのに監視カメラの多い都市ばかりなことだ。だいたいにおいて、この指数が50台以上だと犯罪が多いし、30〜40台だと標準的、20台以下だと犯罪が少ない都市と見ていい。

ご覧のとおり、太原以外の中国の都市は、犯罪が少ないのに監視カメラは多いという特徴を持っている。なぜだろうか。ひとつの理由は全国民に与えている社会信用点を増やしたり、減らしたりして国民を管理する政策をとっていることだ。そのための資料集めには、犯罪発生率にかかわらず多くの監視カメラを必要とするだろう。

中国は2020年1月末から3月初旬にかけて、COVID-19多発地域だった武漢とその周辺地域との交通をほぼ完全に遮断し、全国レベルでの蔓延を防いだと言われている。ほんとうに武漢以外の地域での感染率がそれほど低かったのかについては、疑問も残る。

だが人口1000万人を超えるこの大都市と周辺地域との交通遮断が、かなり完璧に近

人口1000人当たりの監視カメラ設置台数ワースト30都市

順位	都市名	所属国	1000人当たりCCTV台数	犯罪指数
1	太原	中国	119.6	51.5
2	無錫	中国	92.1	24.0
3	ロンドン	イギリス	67.5	52.6
4	長沙	中国	56.8	21.4
5	杭州	中国	52.4	21.5
6	昆明	中国	45.0	29.2
7	青島	中国	44.5	8.3
8	厦門	中国	40.3	20.7
9	ハルビン	中国	39.1	26.4
10	蘇州	中国	38.2	15.1
11	上海	中国	37.0	35.6
12	ウルムチ	中国	36.6	26.7
13	成都	中国	33.9	23.8
14	深圳	中国	32.4	32.8
15	ハイデラバード	インド	30.0	44.0
16	済南	中国	29.9	14.1
17	瀋陽	中国	27.7	22.2
18	合肥	中国	26.8	12.4
19	天津	中国	25.8	29.2
20	チェンナイ	インド	25.5	40.4
21	南京	中国	24.9	13.2
22	武漢	中国	23.9	24.0
23	長春	中国	22.6	23.8
24	広州	中国	22.6	40.6
25	鄭州	中国	18.8	21.8
26	重慶	中国	18.3	27.8
27	バグダッド	イラク	16.8	65.5
28	モスクワ	ロシア	15.4	38.8
29	温州	中国	15.2	22.8
30	東莞	中国	14.9	46.7

出所：ウェブサイト『Visual Capitalist』、2021年1月1日のエントリーより作成

いかたちでおこなわれたのは事実らしい。監視カメラによる統制が徹底していなければ、これほど大勢の人間の移動を制御するのはむずかしかっただろう。

もっと気になることがある。それは、この厳格な監視制度について、大都市住民のあいだでは歓迎する人々がけっこう多いことだ。監視カメラの導入以降、あまり不作法な態度や非衛生的な習慣を街で見かけなくなったという理由らしい。ほんとうにそれだけだろうか。

現在、中国には約８億８０００万人の都市住民と５億９０００万

人の農村住民がいると推定されている。だが8億8000万人のうち、都市戸籍を持っているのは約6億3000万人だけで、残る約2億5000万人は農村戸籍のままで都市に住んでいる民工と呼ばれる人たちだ。

彼らはどんなに長く住み着いていても都市戸籍はもらえず、短期滞在者扱いとなっている。賃金や社会的地位が向上するチャンスはほとんどない。子どもたちに良い教育を授ける機会も大きく制約されている。

都市住民のあいだでほぼ全面的な監視制度が意外に歓迎されている最大の理由は、民工に対して感じている漠然たる不安ではないだろうか。その不安の底流には、もし民工が全国の多くの都市で一斉に蜂起するようなことがあったら、自分たちが築いてきた新興国としては豊かな生活が崩壊するのではないかという恐怖がある。

いや、そこまで極端なことを考える必要はない。所得、資産、身分で低い地位に押しとどめられた人たちが大勢いる都市は、慢性的に犯罪が多発する治安の悪い場所になることを、中国の指導者も民衆も悪いお手本を見てよく知っている。

貧困層を抱えたアメリカの大都市では治安劣化が進む

もちろん、悪いお手本とはアメリカのことだ。次ページのグラフは、アメリカ全土に散らばる百数十の都市ごとに、世帯所得中央値を横軸、そして住宅価格平均値を縦軸に配置した分散図だ。

世帯所得の中央値とは、所得順に世帯を並べたとき、ちょうどまん中に来る世帯の所得のことだ。一般的に住宅価格が世帯所得の5倍以下なら持ち家を取得しやすく、5倍を超えるとむずかしくなると言われている。

ご覧のように自動車工業とモータウンサウンドで名高いミシガン州デトロイトとオハイオ州クリーブランドは、世帯所得の中央値が約3万ドルに対して住宅価格は10万ドル弱にとどまる。つまり住宅価格が世帯所得の3倍台前半なので、この程度ならあまり長期にわたるローンを組んだりする必要もなく、無理せずに家を持つことができるはずだ。

逆にニューヨーク州ニューヨークやハワイ州ホノルルは、世帯所得の中央値は6万ドル台とデトロイトやクリーブランドの2倍以上となっている。しかし住宅価格の平均値のほうは60万ドル超と、住宅価格が世帯所得の10倍前後に跳ね上がってしまう。こうなると、

この町に住めば、アメリカン・ドリームはまだ実現可能?
全米主要都市圏の世帯所得中央値と住宅価格平均値、2020年

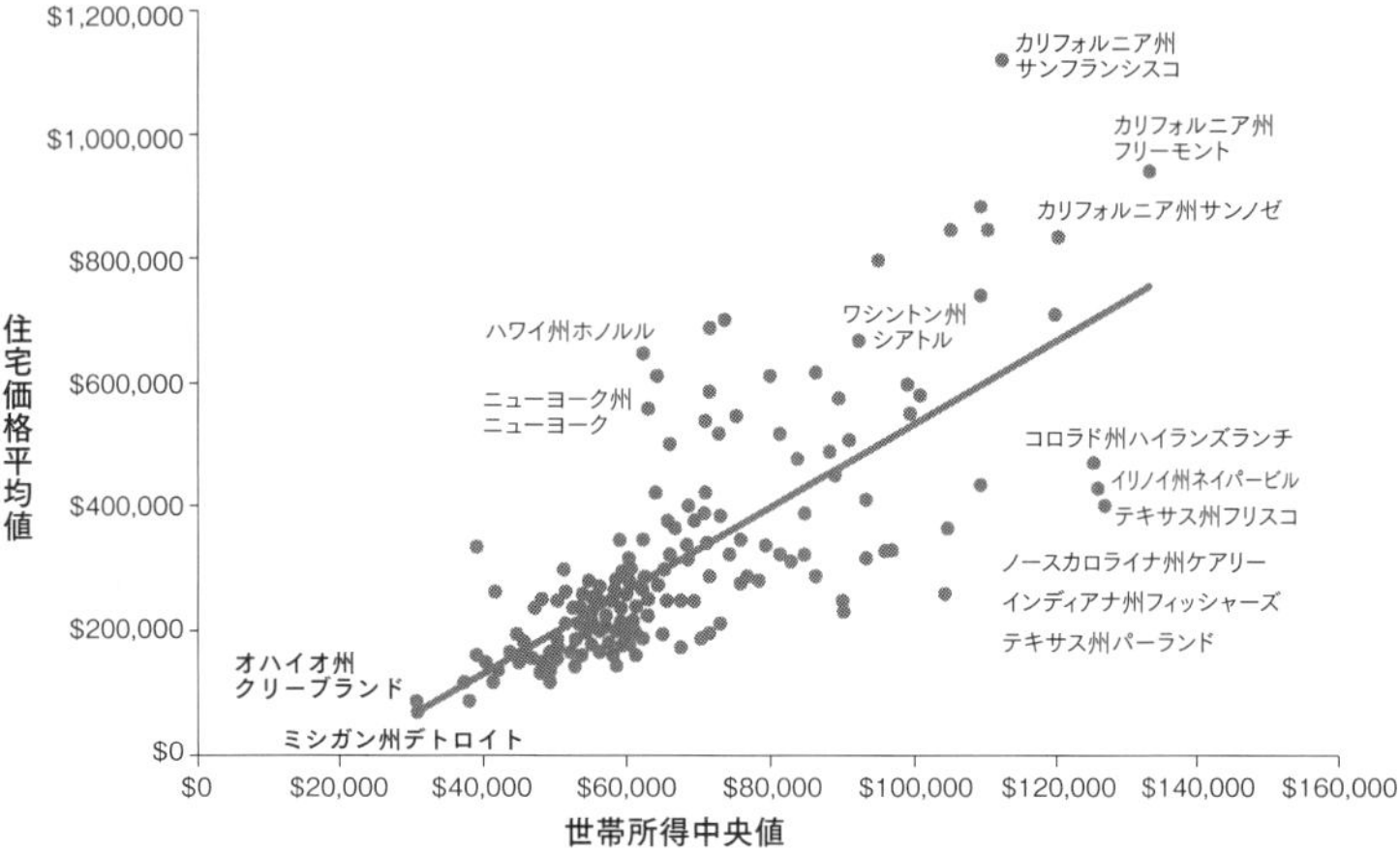

出所：ウェブサイト『Zero Hedge』、2021年3月20日のエントリーより引用

持ち家を取得するのはそうとうむずかしいはずだ。

カリフォルニア州サンフランシスコになるともっと極端で、世帯所得の中央値は11万ドルを超えている。半面、住宅価格の平均値も110万ドル以上とお高くなっているので、持ち家取得のむずかしさはニューヨークやホノルルとほとんど変わらない。

それにしてもアメリカでは、都市圏ごとにあまりにも世帯所得の中央値が違うことに驚く。デトロイトやクリーブランドとカリフォルニア州フリーモントのあいだには、世帯所得中央値で4倍以上の差がついている。

平均所得はごく少数のとんでもなく高収入の世帯が存在するかどうかで、ずいぶん変わってくる。だが、ちょうどまん中に位置する世帯の所得である中央値は、居住地を移動する自由が保証されている先進諸国では、こんなに大きな差は出ないはずなのだが。

世帯所得中央値が都市によってここまで大きく変わる理由は、おそらく公共交通機関の有無だろう。公共交通機関のお粗末なアメリカでも、大都市にはほそぼそと運行されている市街電車やバスがある。だから毎日の通勤にこうした交通機関を利用しなければならない貧しい人たちが住んでいる大都市は、世帯所得の中央値が下がるわけだ。

一方、近隣商業施設にもクルマがないと行けないような小さな町では、自動車を持てない世帯は住みつくことができない。そうすると、世帯所得中央値も高めになる。

また州によって程度の差はあるが、アメリカではかんたんに新しい自治体を設立したり、自治体条例や規約を多数決で大きく変更したりできる。そこで住宅建築の許可条件にきつい縛りをかけているので、かなりの高額所得者でなければ住めないような小さな町も点在している。

前ページのグラフには、アメリカの地理にくわしい方でもめったにご存じないような小さな町なのに、世帯所得中央値が10万ドル（約1100万円）を超えている都市が出てくる。これは、そうとう露骨な所得制限付きの自治体条例や規約を持っていたり、高い塀をめぐらした厳重な出入りの管理システムがついていることをウリにした「ゲーテッド・コミュニティ（柵で囲まれた自治体）」を擁する町だったりする可能性が高い。

ここでは煩雑になるので省いたが、都市ごとの犯罪指数も比較することができる。所得中央値の低い都市は、例外なく犯罪指数が高い。一方、世帯所得中央値の高い都市は軒並み犯罪指数が低い。

デトロイト、クリーブランド、トレド、アクロンといった中西部のラストベルト（錆びついた工業地帯）では、住宅は手に入れやすいがその代償として犯罪の多発に耐えなければならない。一方、インディアナ州フィッシャーズやテキサス州パーランドのような知名度の低い小都市では、住民の所得水準との比較ではかなり割安な住宅を取得することができて、しかも犯罪発生率は全国平均より顕著に低い。

住宅取得難易度ワースト10都市を拾い出してみると、カリフォルニア州の都市としては比較的世帯所得中央値の低いオークランドだけは、クリーブランド並みに犯罪発生率が高い。それ以外の9都市は、全国平均以下か全国平均よりちょっと上の犯罪発生率にとどまっている。

ようするに金持ちはサンフランシスコやロサンゼルスのような大都市の多様なライフスタイルを満喫するにも、小都市ののどかな暮らしを楽しむにも、頻発する犯罪におびえながら生活する必要はない。しかし低所得層にとって住宅を取得しやすい都市は、ほぼ例外なく暴力犯罪多発地域なのだ。

アメリカは今のところ、中国ほど厳格な監視社会にはなっていない。それでも慢性的な治安劣化に悩んでいる。中国の民衆まで、そのへんの事情を知っているかどうかは、わからない。現代中国の政治指導者たちは、格差の解消が望み薄だとすれば、国中を全面監視社会にしてでも治安崩壊を防ごうとしているのではないか。

いや、格差解消は望み薄どころか、彼らは一党独裁の現制度を守るには、既得権益集団が一般大衆より豊かな生活ができる状態を保たなければならないと知っている。これだけ大きな所得や資産の格差を維持しながら治安の悪化を防ぐには、社会全体をきびしく監視して犯罪や暴動を小さな萌芽のうちに摘み取ってしまうしかないと腹をくくっているのだろう。

中国現政権の姿勢は明快だ。将来を見とおせば、農村居住者や都市下層民（民工）があちこちで反乱を起こす危険はある。だが、とりあえず現在までのところ、アメリカよりずっと暴力犯罪の少ない都市環境を維持してきたことをアピールしている。

たとえばアフリカ大陸内陸部の最貧国などで人気取り競争をしたら、どうだろうか。現地の野心的な政治家たちには、国民に対する監視を強めて安定政権を維持するという方針は、うけがいいかもしれない。

アメリカの立場は微妙だ。少なくとも公式見解としては、国民の自由を制約するスタンスは取れないはずだ。中国現地法人などからの収益への依存度が高い大手企業や、中国から無利子で借りたカネを中国への投融資に回して金利・配当収入を稼ぐおいしい商売をしている金融業界は、本音では中国の現体制を維持することに中国政権と共通の利益を感じている。

ただ、このまま所得格差、資産格差を拡大する方向に突っ走っていたのでは、いずれ貧困層の多い大都市圏で左右両派の街頭での衝突や暴動が日常化するのは避けられない。そこで採用された政策が、感染症としてはそれほど致死率が高いわけではない新型コロナウイルス、COVID-19の蔓延を口実としたロックダウンではなかっただろうか。

ロックダウンの目的その1　全面監視社会化の下準備

ロックダウンを積極的に推進した勢力による「ワクチンの開発・実用化が可能になるまで、感染の拡大を最小限にとどめる」という主張は、意図的なウソではなかったかもしれない。しかし結果として大失敗だったことは明白だ。

アメリカ国内で比較しても、ロックダウンが厳重だったニューヨーク州やカリフォルニア州では感染率も致死率も高かった。まったくロックダウンをしなかったフロリダ州や、ロックダウンを短期で解除したテキサス州では、感染率も致死率も低かった。

ロックダウンを積極的に推進したのは、民主党系の州知事や市長を擁する自治体で、消極的だったのは共和党の州知事や市長を擁する自治体だった。この事実を見るだけでも、ロックダウンには「疫病の蔓延を防ぐ」という公式見解を超えた目的があったことが推測できる。民主党系の中でもとくにリベラル派を自任する首長をいただく自治体が強力に旗を振ったロックダウンのほんとうの目的は、ふたつあった。

ひとつめは貧困層の不満を解消するのではなく、彼らによる暴力の激発を抑圧するための全面監視体制を導入する際に「市民の命を守ることこそ最優先」という大義名分を振りかざすことだ。ふたつめは、ちょっと迂遠な議論に見えるかもしれない。個人消費需要の対象を、上場大企業の少ない第三次産業の提供するサービスから、上場大企業の多い第二次産業の提供する工業製品へと転換させることだ。

わかりやすいひとつめから説明していこう。現代アメリカのように格差の大きな国では、貧困層に不満が募るのは当然だ。とくに自分の財力で安全を買うことのできる大金持ちと、かろうじて運行されている公共交通に頼る貧困層だけが残り、中間層が逃げてしまった大都市中心部では犯罪が多発する。

露悪党である共和党保守本流に属する人たちは「格差のしわ寄せを受けるほうにいるのがイヤなら、もっと金持ちになるための努力をしろ」と居直ることができる。身も蓋もない議論だし、大都市圏の犯罪発生率の高さをいくらかでも抑制する効果があるとも思えない。ただ正直な言い分であることは間違いない。

民主党リベラル派は、共和党よりはるかに大企業や大富豪のスポンサーが大勢ついているのに人種や民族系統、そして性的志向における少数派や労働者の味方だと主張している。つまり彼らの本質は偽善党だ。

たとえば非合法移民を歓迎する政策は、低賃金労働者にとって自分たちの生活に対する直接の脅威だ。もっと低賃金で働く外国人、しかも法律上は存在しない人間なので企業には社会保障負担抜きで雇える人たちの供給を増やそうというのだから、どう考えても労働者に不利で経営側に有利な政策なのだ。

それでも彼らは非合法移民の受け入れが経営者のための政策だという本音を言わない。「アメリカ国内の低賃金労働者にはきついかもしれない。だが世界中の貧困にあえぐ人々、思想信条、宗教などの違いによって政府に弾圧されている人たちを受け入れるのは、アメリカ国民の崇高な使命だ」といった美辞麗句で本音をおおい隠す。

こういう人たちが「我々には、格差の拡大から大きな利益を受けている産業がスポンサーについている。だから格差の拡大で大都市の治安が悪くなる原因を根絶することなどできない。せめて国民全員に対する監視を強化して、犯罪を未然に防ぐしかない」などと正直に本音をぶちまけることがあるだろうか。

「疫病に感染する国民の数を最小限にとどめるために、厳重な監視体制をとりましょう」などと、きれいごとで取り繕うに決まっている。さらに「公共の場所や大群衆の集まるところに入るには、ワクチンを接種したという証明書を提示しなければならないことにしましょう」と言えば、大スポンサーである薬品会社の業績向上にも役立つので一石二鳥だ。

ロックダウンの目的その2　消費需要の工業製品への移転

現代経済は、1990年代ごろに製造業主導からサービス業主導へと変化した。その結果、製造業の中でも有力産業の大手企業と、金融業界という株式市場の活況から恩恵を受けることが大きい2グループにとって、大変困ったことが起きた。

設備投資需要が慢性的に低迷しているので、企業による新株発行増資や社債発行活動も縮小しつづけていることだ。このへんは、アメリカの金融市場だけを見ている人にはわかりにくいかもしれない。金融業界には頭のいい人たちがそろっているので、こうした状況を巧みに隠蔽しているからだ。

だが日本では１９８９年末からのバブル崩壊以降、そしてヨーロッパではいわゆる２０１０年のＰＩＩＧＳ（ポルトガル・イタリア・アイルランド・ギリシャ・スペイン）危機以来、金融業は慢性不況業種となっている。

製造業全盛期には、設備投資の拡大と、そのための資金調達が経済全体を牽引していた。とくに製鋼、自動車、電機といった有力産業の勃興期には、少しでも早く他社より多額の資金を投じて巨大な設備能力を築くことが、安くて良い製品の大量供給によるシェア拡大、ガリバー型（突出したシェアを持つ）寡占企業創出のカギとなっていた。規模を拡大すれば生産効率が上がる「規模の経済」が実際に成立していたのだ。

そのために少しでも良い条件でより多くの資金を調達できるように、自社の株価を高めることが有利となる。だから有力産業の大手企業と証券会社のあいだにウィン・ウィンの関係が成立していた。このウィン・ウィン関係が、日本では１９９０年代から、そしてヨーロッパでは２０１０年代からほぼ完全に消滅してしまった。

根本的な理由は、製造業に代わって経済全体を牽引するようになったサービス業において単純な規模の経済は成立しないからだ。むしろ性急に売上を伸ばしたり、対象とする市場を拡げたりすると、利益率が低下することが多くなった。そもそも個人消費向けサービス業には、あまり大きな設備投資を必要としない業態が多い。数多くの中小零細企業が併存する市場構造で、大企業になったからといって競争条件がとくに有利になるわけでもないからだ。

こうして銀行では安全確実に良い利回りで融資できる案件が見当たらないため、預金中の融資に回している金額の比率を意味する預貸率が慢性的に低下した。事業会社では、使い途のない手元現預金が増加の一途をたどった。そしてアメリカの株式市場でさえ、新株発行増資で企業が調達する資金の額より、自社株買いによって企業が株主に返却する金額のほうが多い事態が定着した。

これは決して金融市場の機能がおかしくなっているわけではない。むしろ金融市場が健全に機能している証拠だと言ってもいい。少なくとも先進諸国ではもう、消費者があくせくモノを買い集めるのではなく、おもしろい体験や貴重な経験にカネを遣いたいと思うようになっている。だから「今さらモノづくりの会社や金融市場にカネを滞留させずに消費者にカネを回せ」と市場が催促しているのだ。先進諸国で金利が全般的に低下しているのも、まったく同じことを意味している。

ところが、つい最近まで経済連鎖の頂点に立っていた産業は時代が変わったからといって、あっさり玉座から降りてくれるわけではない。持っている経済力、金融力、そしてアメリカのように贈収賄が合法化されている国では政治力まで駆使して、強引に時代の流れを押し戻そうとする。

ロックダウンは中小零細の小売店、飲食店、個人ケアサービスの営業活動には壊滅的な打撃を与えた。だが同時に、製造業、大手スーパー、大手ファストフードチェーンなどには、ほぼ平常どおりの営業を許していた。その意図が、サービス業によって王座を追われた製造業・金融業を、政治力を使って復位させようとすることだったのは明白だろう。この観測には、有力な物的証拠がある。

次ページではアメリカの個人消費を、耐久財、非耐久財、サービスの3部門に分けた場合と、その合計とを4枚のグラフに描いてある。まず上2段の耐久財、非耐久財をご覧いただきたい。コロナショック直後の一過性の落ちこみをのぞけば、アメリカの消費者はロックダウンがまだ厳重だったころから、製品需要を大幅に拡大していたことがわかる。コロナショック直前までの趨勢よりもはるかに多額の製品消費をしていた。

比較的高所得のオフィスワーカーの場合、家からのリモートワークでも給与面などへの影響はほとんど出なかった。対人サービスなどの低賃金分野で働いていた人たちは売上激減で失業したり、一時帰休させられたりしていた。だが割と多額の臨時給付があったので、いわゆる巣ごもり消費が盛り上がったわけだ。

ロックダウンは強引にサービスから製品に需要を移した 2008〜21年

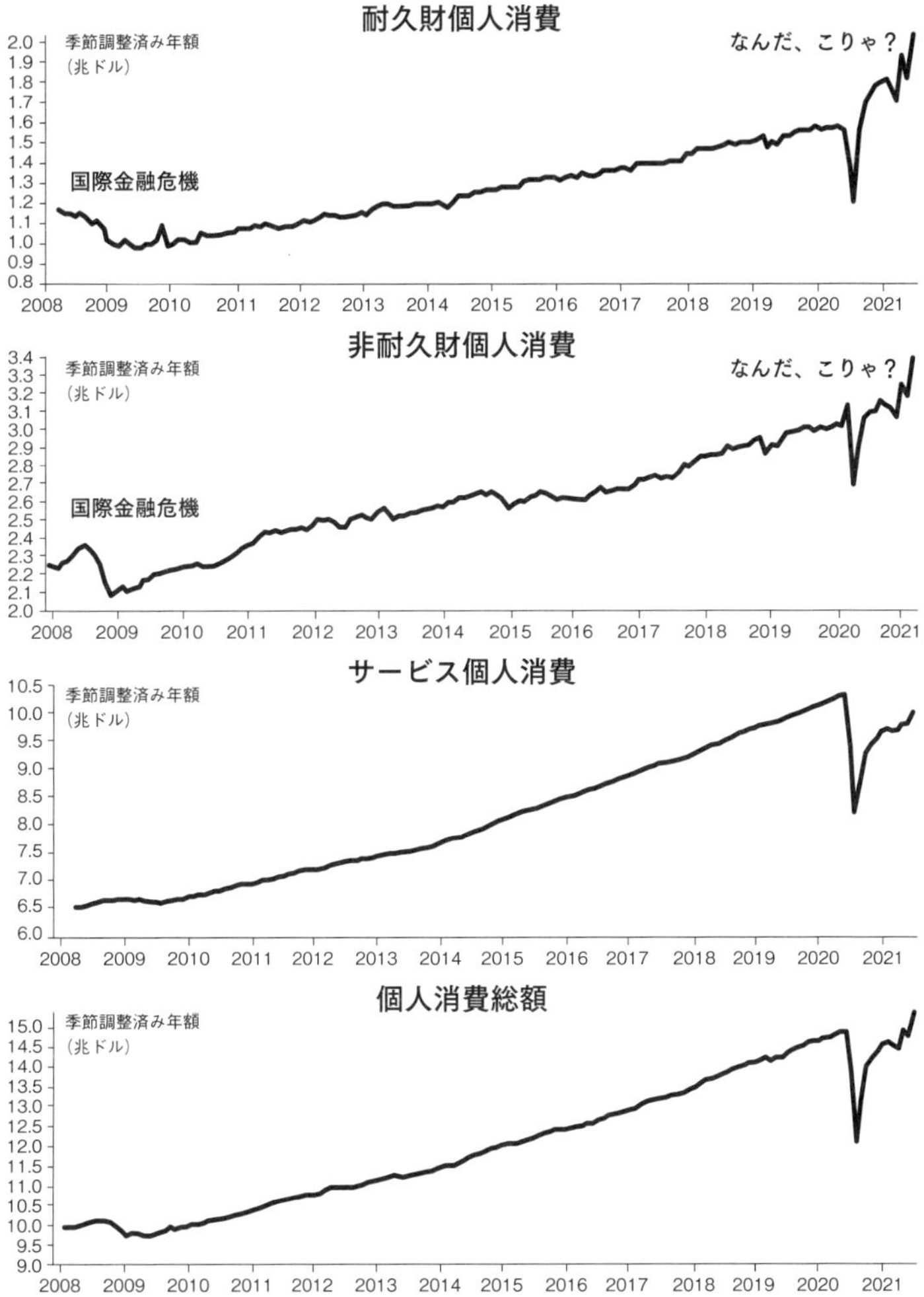

原資料：米連邦商務省経済分析局、セントルイス連銀調査部のデータをウォルフ・ストリートが作図
出所：ウェブサイト『Wolf Street』、2021年4月30日のエントリーより引用

同時に対人接触に関する恐怖をあおるキャンペーンは成功して、買い手と売り手が同時に同じ場所にいなければ成立しない個人消費向けサービス業の落ちこみは激烈だった。理髪、美容、エステ、ネイルサロン、スポーツジムといった業態だ。3段目のサービス業の折れ線は直近の2021年3月になっても、コロナショック前の趨勢を取り戻すどころか、まだコロナショック直前の水準も奪回していない。

しかも金額的なインパクトは、一見小幅に見えるサービス業の落ちこみのほうが、一見派手な耐久財・非耐久財の増加より大きい。サービス業はコロナショック直前の年率換算で約10兆6000億ドルから、ほぼ正確に10兆ドルへと6000億ドル下がっている。

一方、耐久財はコロナショック直前の約1兆4600億ドルから直近の2兆ドルまで、5400億ドル増えている。非耐久財は3兆1400億ドルから3兆4000億ドルまで、2600億ドル増えている。単純計算だと、製品の増加分8000億ドルのほうが、サービスの減少分6000億ドルより大きく見える。しかし、その判断はやはり間違っている。

まずいちばん下段の個人消費総額を見ると、コロナショック直前よりはやや高い位置にあるが、コロナショック時までの趨勢を回復したわけではない。さらに製品消費の急拡大は一過性なのに対し、サービス業の収縮は長く尾を引く可能性が高い。その理由はふたつある。

製品消費需要拡大は線香花火に終わる

ひとつめの理由は、次ページのグラフが示すように、製品購入が激増した背景となっている個人所得増加の中身があまりにも持続性に欠けているからだ。

上段の全収入源からの個人所得と、下段の刺激策、失業手当、福祉給付を見比べていただきたい。2020年春にはトランプ大統領による4兆ドル弱の、そして2021年春にはバイデン大統領による5兆ドル強のコロナ対策臨時給付があった。

ただし上段の全収入源からの個人所得を見ると、どちらのケースも、臨時給付全額が賃金・給与などの本来の所得に上積みされているわけではない。当然ながら本来の収入が減った人も多く、その穴は完全に埋まっていない。

それよりも本来の収入がいつまでたっても本格回復しなければ、臨時給付を際限なくつづけられるわけがない。政府は現在の所得にかける税収か、将来の収入で返済することにしている国債の増発からしか、こうした臨時給付の財源をまかなえないからだ。

ふたつめの理由は、もっと怖い。それは製造業とサービス業ではロックダウンなどによって失われた時間の持つ重みが違うことだ。

全収入源からの個人所得は大幅に伸びたが……
2015～21年

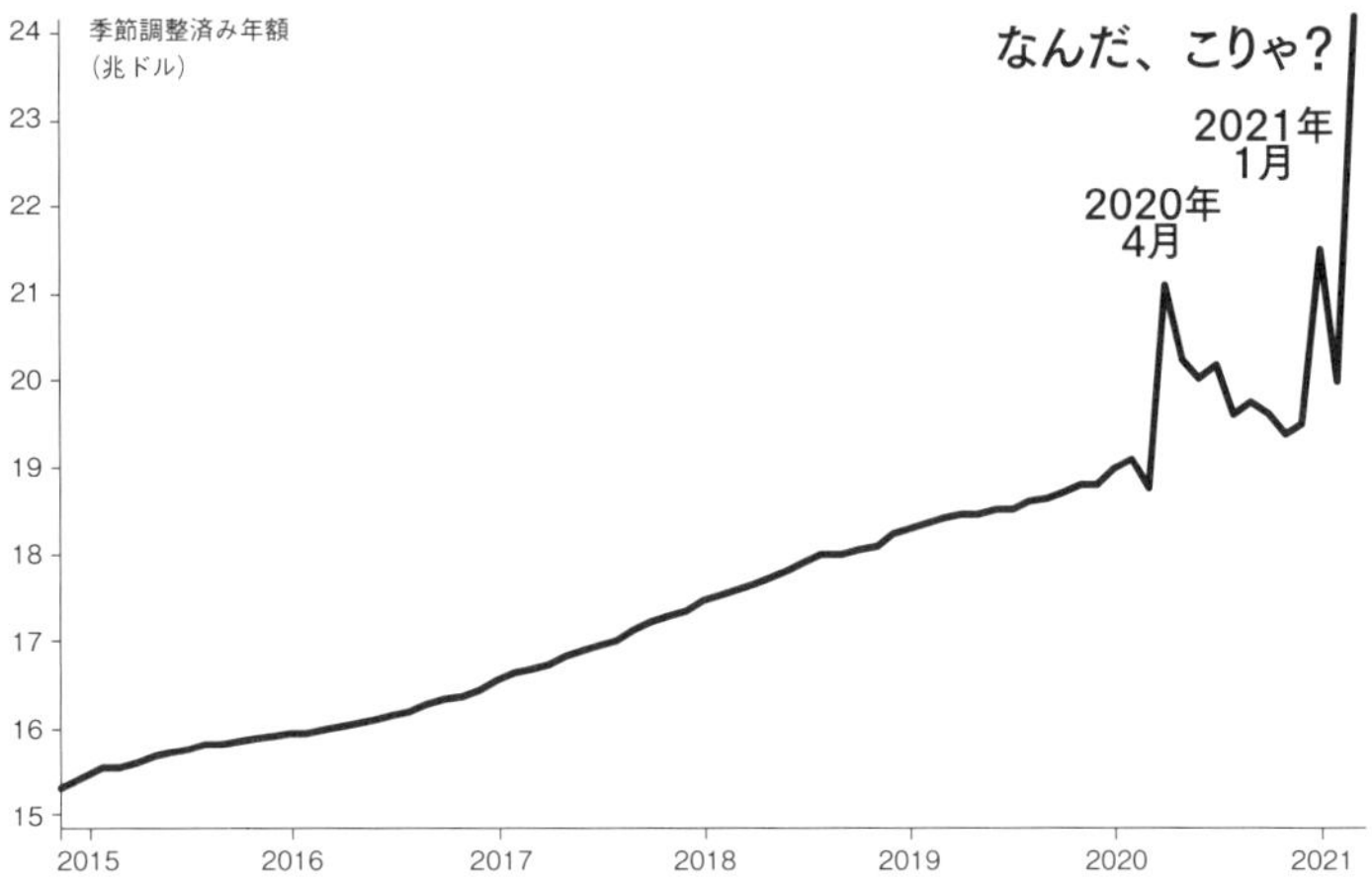

ほぼ全額が刺激策、失業手当、福祉による給付

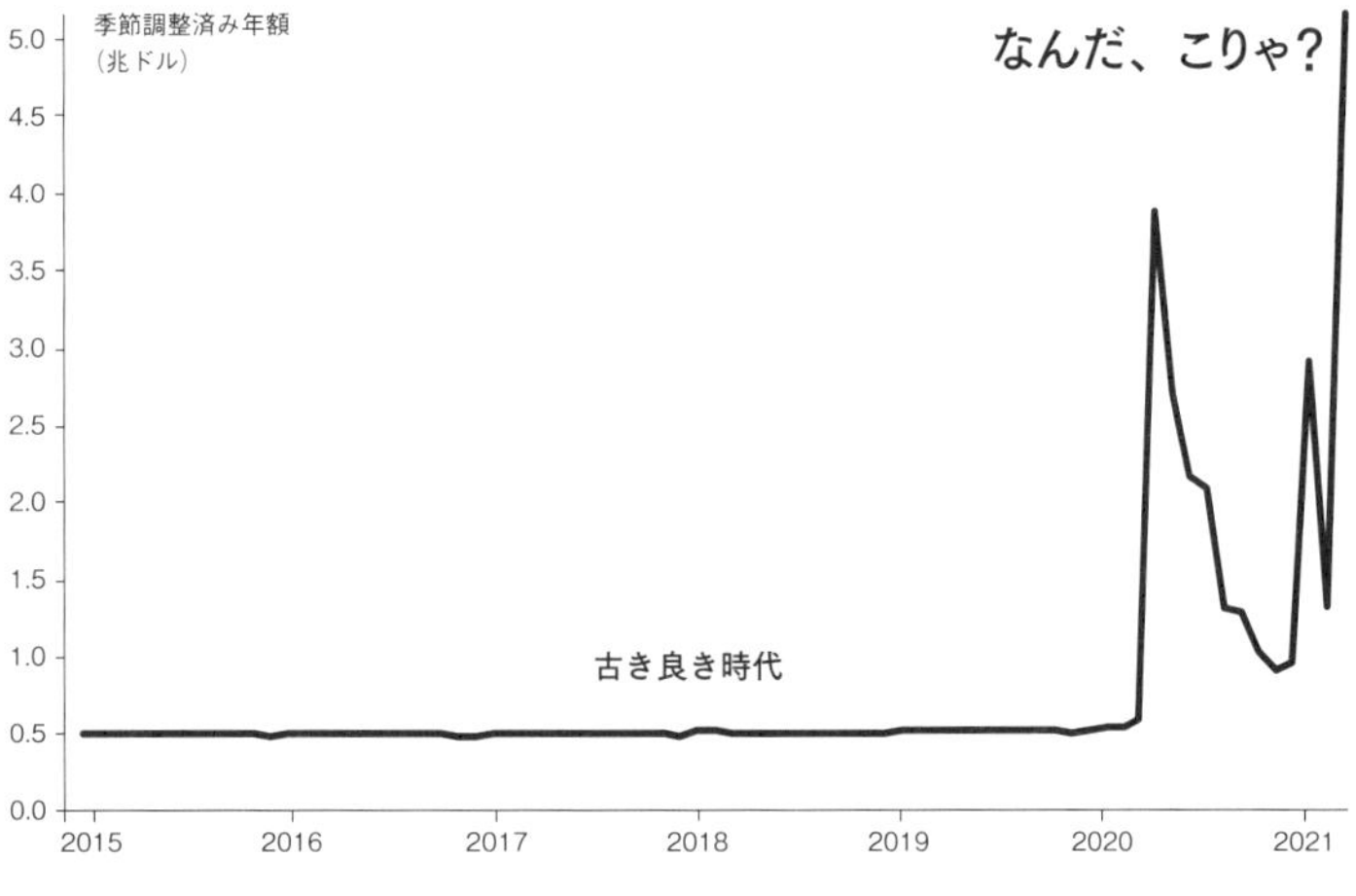

原資料：米連邦商務省経済分析局、セントルイス連銀調査部のデータをウォルフ・ストリートが作図
出所：ウェブサイト『Wolf Street』、2021年4月30日のエントリーより引用

製造業では、小売店の臨時休業や営業時間の短縮などで売れなかった時期につくり溜めしておいた製品をあとから大量に売りさばくというかたちで、ある程度失われた時間を取り戻すことができる。

しかし一期一会的な業態が多いサービス業では、失われた時間という事業機会は失われっぱなしで二度と戻ってこない。にもかかわらず金融業界と多国籍化した製造業大手各社によって完全に牛耳られているアメリカの政治家たちは、さんざん痛めつけられたサービス業をさらにいじめる恐怖宣伝に熱心に取り組んでいる。

有力な圧力団体もなく、大手上場企業も少ない娯楽接客業界などは、踏んだり蹴ったりの状態になっても、連邦政府レベルで擁護してくれる政治家がほとんどいないからだ。とくに薬品会社や大手メディアを大スポンサーとする民主党リベラル派には、大手上場企業の少ない業界がどんなに苦しんでいても平然と見過ごす傾向が強い。

トランプは一度も有力産業や大手企業の献金のおかげで選挙に勝ったことがない、第二次世界大戦後のアメリカ政界では珍しい人間だった。また、ほぼ独力でホテルチェーン運営を中核とする不動産業者としても成功している。こうした経歴もあって、現代経済の根幹をなすサービス業に対する打撃の大きい都市封鎖などに極力抵抗し、ロックダウンにも批判的な姿勢を貫いた。

中国製鋼業界、2020年に史上初の年産10億トンを達成!
中国製鋼生産高推移、2009～21年

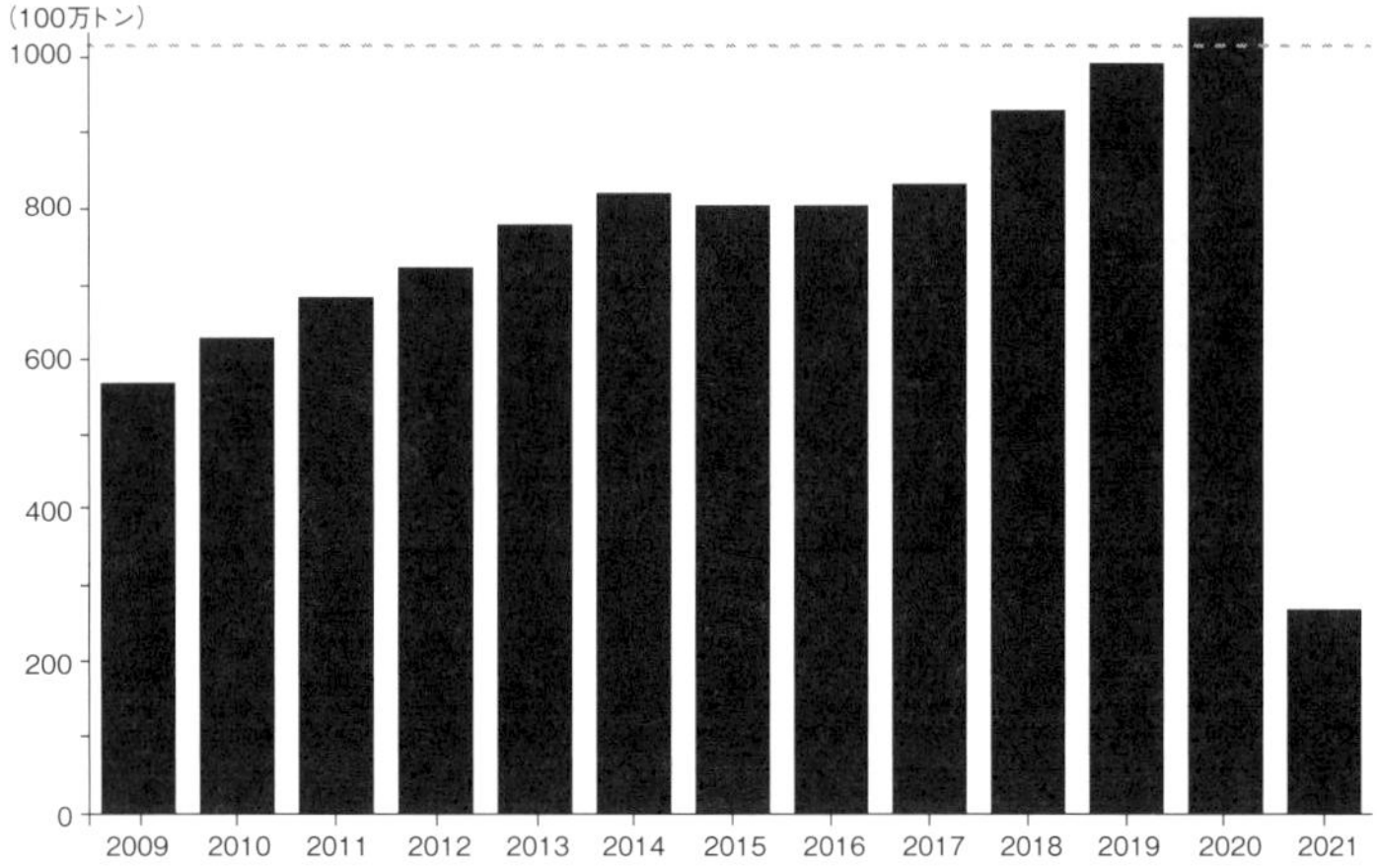

原資料：中国国家統計局
出所：ウェブサイト『Yahoo! Finance』、2021年5月5日のエントリーより引用

現代経済においてサービス業が収縮するのは、国民経済の大黒柱がやせ細るのと同じことだ。それを製造業への需要を人為的に膨らませて補おうとしても必ず失敗する。さらに、なんとか一時的にせよ増えた製品需要を吸収して潤うのは、自国の製造業ではないことも多い。

２０２１年４月の労働統計では、製品消費需要の急拡大を根拠に、製造業を中心に新規雇用が80万～１００万人分増えるとの直前予測がもっぱらだった。ところが蓋を開けてみたら新規雇用の創出はわずか20万人分強で、しかも製造業では増えず、増えたのはもっぱら娯楽接客業界の雇用だった。ようするにウエイター、ウエイトレス、バーテン、カジノのカードディーラーなどの往々にしてチップなしでは食っていけないほどの低賃金職種だ。

それでは、どこが急拡大した製品需要を吸収したのか。慢性的に過剰設備を抱えている中国経済だ。前ページのグラフにはっきりあらわれている。

自国国有産業のバランスシート危機が表面化した２０１４〜17年に足踏み状態だった以外、中国製鋼業界は徐々に生産高を拡大してきた。世界的には製造業の実績が低迷していた２０２０年に、ついに年産10億トンの大台に乗せた。２０２１年第１四半期の実績を見ると、通年では一挙に12億トンまで拡大するかもしれない。

今さらアメリカの消費者が製品需要を拡大したら、国内の製造業各社が生産高や雇用を拡大すると考えるのは40〜50年古い認識だ。世界各地に生産拠点を持っている多国籍化した製造業大手各社が設備も古く、工場労働者の士気低下も著しいアメリカ工場で生産を拡大するわけがない。比較的新しい設備が慢性的に過剰化していて、労働力の補充も農村部に立地していれば安上がりな中国などで生産を拡大するのは、わかりきったことだ。

製造業は趨勢的に地盤が沈下している

ただ中国にとっても、この製品に対する需要増の恩恵は一時的にとどまる。製造業は景

商品の株に対する相対価格推移
1992～2021年

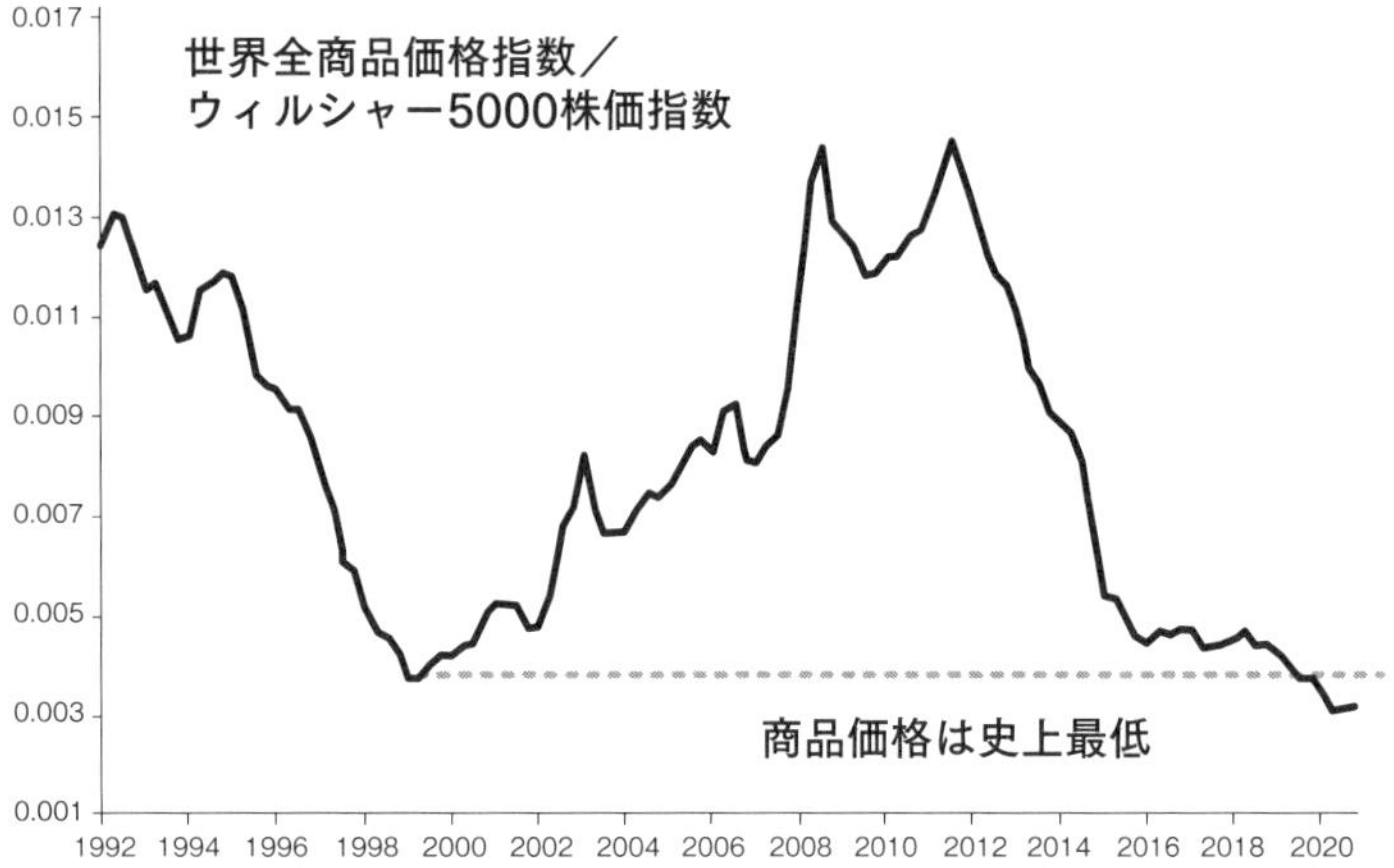

原資料：セントルイス連銀調査部のデータをエリオット・ウェーブ・インターナショナルが作図
出所：ウェブサイト『Deflation.com』、2021年4月23日のエントリーより引用

気サイクルの底に向かっているのではなく、趨勢的に地盤が沈下しているからだ。上のグラフをご覧いただきたい。

　このグラフが示しているのは世界商品価格指数を、アメリカで上場している全銘柄を網羅したウィルシャー５０００株価指数で割った数値の推移だ。製造業が活性化しているときには商品需要も強まり価格も上がるので、この折れ線は上向きになる。逆に製造業が不振だと下に向く。現在、この折れ線が史上最安値を更新したので、これからは製造業の生産活動も活発になり、商品価格も本格的に回復すると主張する人が多い。

　金融業界に属する人たちは、自分たちの繁栄が活発な新株発行増資や起債にかかっ

**M2マネーサプライに対するWTI原油の相対価格
（2000年平均を100とする指数表示）1986～2021年**

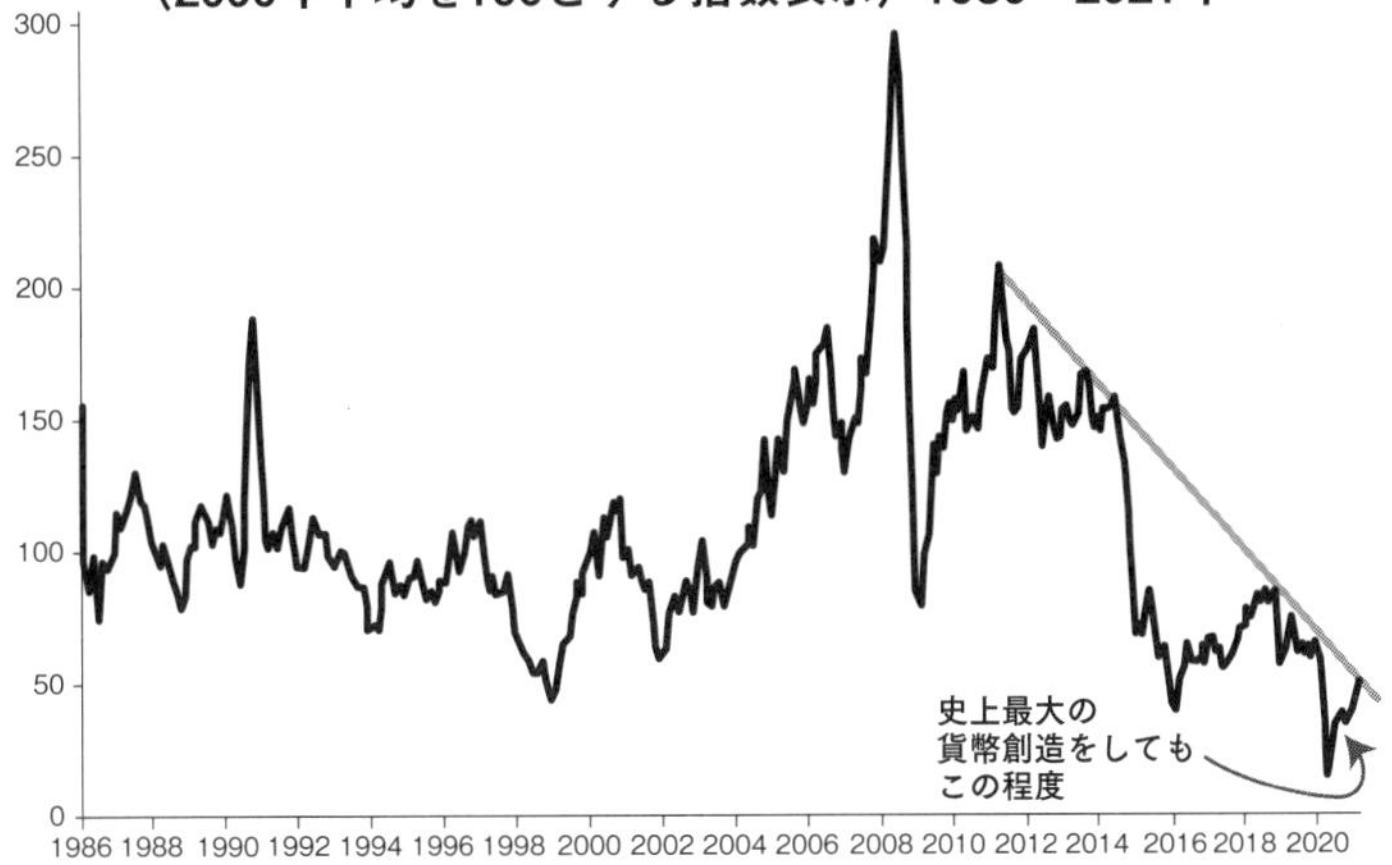

原資料：セントルイス連銀調査部のデータをエリオット・ウェーブ・インターナショナルが作図
出所：ウェブサイト『Deflation.com』、2021年4月23日のエントリーより引用

ていることをよくご存じだから、たいていこの見方に好意的だ。しかし、あらゆる経済指標の動きには、循環的な要因と趨勢的な要因がからんでいる。

この指標について言えば、重要なのは明らかに２００８年と２０１２年のフタコブラクダ型のピークをはずすと見えてくる趨勢的な低下のほうだ。中国が世界経済の救世主とおだてられて、世界中から金属資源やエネルギー資源を買いあさって資源浪費型の「高度成長」をしていた時期だけ、商品価格は高かった。それ以外の時期には一度として１９９２年の水準に近づいたことさえない。

同じことを、上に掲載したグラフでも確認しておこう。原油は長期間、エネルギー資源の王者として君臨していた。最近では天然ガスと首位の座を争っているが、やや劣勢だ。

こちらは、アメリカのマネーサプライ（流通中の貨幣の総量）に対するWTI原油先物の相対価格を2000年の年間平均を100とする指数ベースで描いたグラフだ。当然のことながら、製造業はほかの部門に比べてエネルギー消費量が大きいので、製造業が活発ならこの折れ線は高く、不振なら低く出てくる。

中国経済の資源浪費型「高成長」が世界経済におよぼした影響は、215ページのグラフが示唆するよりさらに小さかったと推測できるグラフになっている。具体的に言えば、こちらはフタコブラクダ型ではなく、2008年末か2009年初頭の針のように細いピークまでの上昇と同じぐらい細い急降下を示している。

2007年当時、アメリカ発サブプライムローン崩壊に端を発した国際金融危機がピークを迎えていた。おそらく株式市場や債券市場から逃避した資金がどっと原油先物市場になだれこんだのだろう。この一過性の乱高下を中心とした前後約10年を除いて見れば、やはり1990年を頂点に趨勢的な低下がつづいている。

モノ不足型経済はモノ充足型経済に転換していた

なぜ商品価格やエネルギー価格は低下しつづけるのだろうか？　再三にわたって強調したように、経済を主導する産業が製造業からサービス業に変わったからだ。その底流には、国民を豊かにするには資源を大量投入する必要があったモノ不足型経済から「モノより珍しいコト、おもしろいコト」のほうが国民を豊かにするモノ充足型経済への転換があった。そのへんの事情を、これ以上明晰《めいせき》に示してくれる証拠はないと思えるデータがある。

次ページにご紹介するグラフについては、くどくど説明する必要もないだろう。世界主要国の株式市場で資本集約型産業に属する企業の株価と、非資本集約型産業に属する企業の株価では、１９９０〜２０２０年の30年間でどれほど大きな差が出たかを示している。資本集約型は30年でやっと2倍になっただけだ。非集約型はほぼ18倍になった。それぐらい世界中で資源を大量投入する産業は低迷し、資源をあまり使わない産業は躍進しているのだ。

ここでひとつ注目していただきたい産業がある。それは薬品・バイオテクノロジーだ。設備投資に大金を投入する必要はないが、研究開発には巨額の投資が必要だ。もう一方で

非資本集約型産業の株価が資本集約型産業の株価を圧倒
（1990年を100とする米ドルでの世界株価推移）1990〜2020年

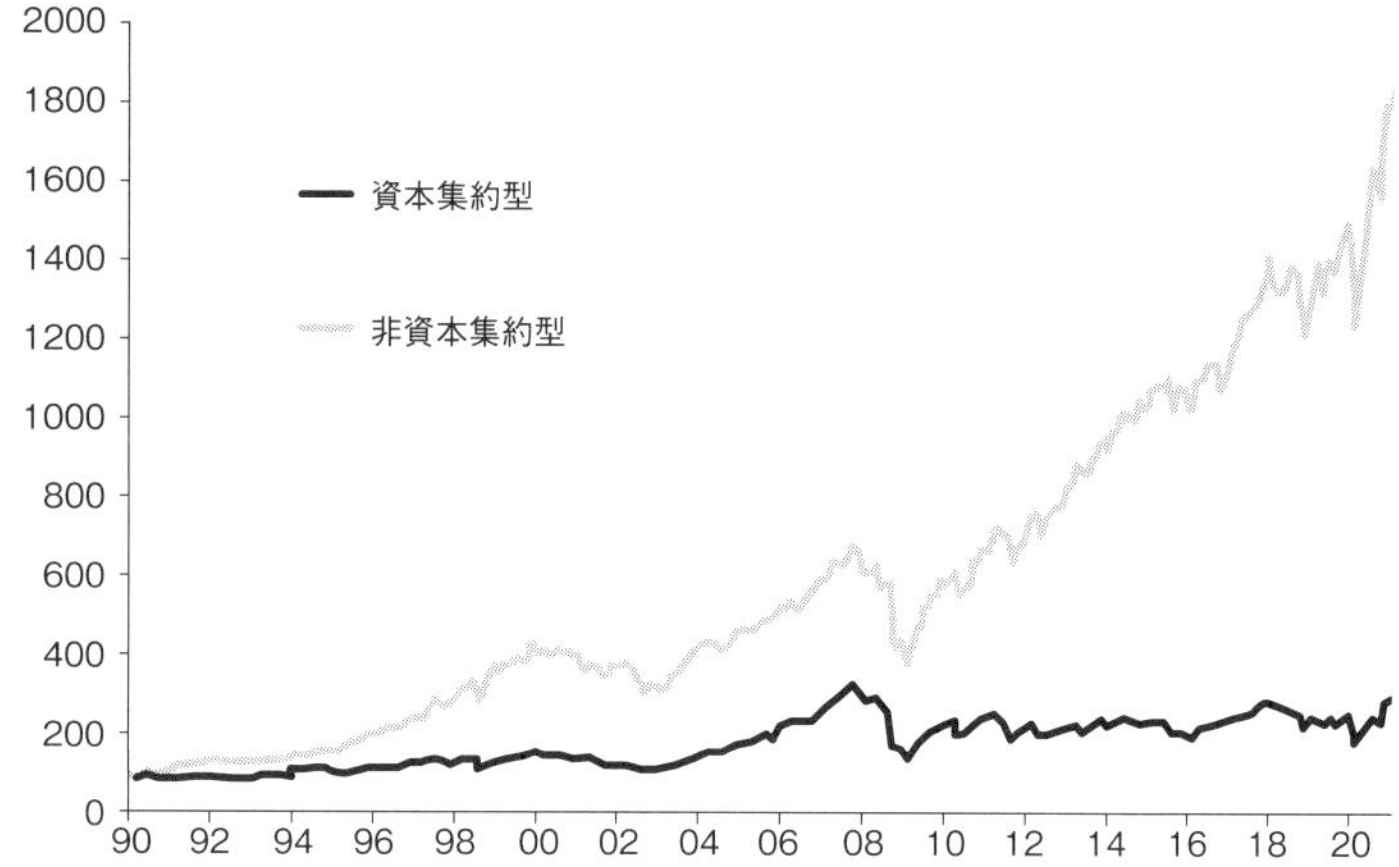

注：資本集約型とは、電力、産業資材、自動車・同部品、ガス、水力発電、工業用金属・鉱山業、テレコムサービス提供、娯楽施設運営、建材、一般産業財、産業用輸送、代替エネルギー、石油・ガス・石炭を指す。
非資本集約型とは、テクノロジー・ハードウェアと装置、医療機器と医療サービス、薬品・バイオテクノロジー、家庭用品と住宅建築、飲料、食品加工、小売、タバコ製造、ソフトウェア・コンピューター、嗜好品、消費者サービス、ドラッグストア、青果店を指す。
原資料：データストリーム、ワールドスコープ、ゴールドマン・サックス　グローバル投資サービス
出所：ウェブサイト『UPFINA』、2021年4月27日のエントリーより引用

は世界中の金融機関、好業績企業、大富豪が貯まる一方の投資用の待機資金を持てあましている。

感染症としてはとりたてて感染率も致死率も高くないＣＯＶＩＤ－19を大疫病に仕立て上げた人たちは、アメリカ的利権社会を象徴する存在ではないだろうか。つまり民主党リベラル派・薬品業界・大手メディア・金融業界が形成する利益共同体の「巨額の研究開発投資をしたからには、それなりの収益を回収しなければならない」という意向をみごとに体現した恐怖キャンペーンを張ってワクチン売上の拡大に貢献したわけだ。

このままではアメリカの大都市は都心部から壊死する

ただ利権共同体がこれほどやりたい放題をやっている社会には、どこかにほころびが出てくる。中国のほころびが「群体性事件」の頻発だとすれば、アメリカのほころびは大都市中心部の死滅となるのではないだろうか。アメリカの大富豪はたとえ大都市中心部に豪邸を構えて住んでいても、都市生活の魅力とは無縁の生活をしている。

大都市の魅力はさまざまな趣味、嗜好、欲求、願望を持った人たちが集まり、それぞれ微妙に違う個性を持って中小零細店舗が歩いて見て回れる距離に密集して存在していることだ。だが若いころから巨万の富を稼いでいた起業家や、大富豪になってからずいぶん時間がたった人たちには、それがわからない。

世界中どこへでも、行きたいときにプライベートジェットで行く。たまに店に入るときには自分だけの貸し切りにする。たいていの商品やサービスは自宅に持ってこさせる。そういう生活をしていると、大都市中心部の魅力がどこにあるか、まったくわからなくなる。

だからレストラン、バー、カフェのような業態も、最大数の店舗を展開するチェーンを頂点としたピラミッド型の産業構造につくり変えてしまえばいいと思っている。どうしてもそうならなかったら、中小零細企業ばかりの業態が全滅しても痛痒を感じない。

もう中間層は逃げてしまっている。大富豪と貧乏人しか住んでいない大都市中心部で中小零細店舗の集積が消え去ったら、あとはもう大都市全体が中心部から壊死していくだけだろう。サービス業主導の経済で大都市だけが提供できる趣味・嗜好の多様性が失われたら、いったい何が残るというのか。

アメリカで歩いて楽しい街はニューヨークのマンハッタン、ボストン旧市街、サンフランシスコなど、片手で数えられるほど少ししか残っていない。その大部分で民主党リベラル派が市長をしている。彼らは、大富豪が街を出ていくと税収が減るので大騒ぎする。

ロックダウンを延々と続けるとか、真冬に屋外にしか着席できるテーブルを出させないとか、それでなくともダメージの大きかった中小零細店舗をさらに追い詰めるようなことを平然とやっている。これはもう口先で何を言おうと、社会全体を自分たちが儲けやすいように変えたいと思っている大資本の忠実な下僕だと宣伝しているようなものだ。

ようするに民主党リベラル派にしろ、共和党保守本流にしろ、現代アメリカの政治家は贈収賄が正当で合法的な政治活動と見なされる伝統の中で育ってきた。彼らの中には巨大資本の自己増殖衝動に逆らって、大都市中心部の中小零細店舗の集積を守れるような気骨のある人物はいない。

サービス業主導経済の成長性を高めるには、消費者のさまざまな需要に応える多種多様な店舗の集積が不可欠だ。アメリカは今、そうした集積を自分で潰してしまう愚劣な都市政策を実施している。たとえ中国経済の破綻はなんとかやり過ごしたとしても、ゆるやかな衰退はまぬかれないのではないか。

どんな国が米中亡きあとの世界経済をリードするだろうか

アメリカの金融業界は、たとえ中国というおいしいカネづるを失っても生き延びるかもしれない。だが大都市が次々に衰亡していく中で、経済全体の大収縮は避けられないだろう。中国利権社会主義が滅び、アメリカ利権資本主義が衰退する中で、どんな国の経済が輝きを増すのだろうか。

資産分布の平等性の高さという点で、おそらく日本に勝る明るい展望を持つ国はないだろう。次ページの表をご覧いただきたい。

所得や資産の平等、不平等を測る尺度としては、ジニ係数が用いられることが多い。だが、これは直感的に何を意味しているのかがわからない、使いにくい指標だ。一方、所得や資産の平均値と中央値を比べると、どの程度一握りの高額所得者や高額資産家に富が集

成人1人当たり平均資産と資産中央値
2018年（単位：米ドル）

順位	国名	成人1人当たり平均資産	国名	成人1人当たり資産中央値	平均／中央値
1	スイス	53万0244	オーストラリア	19万1453	2.15倍
2	オーストラリア	41万1060	スイス	18万3339	2.89倍
3	**アメリカ**	40万3974	ベルギー	16万3429	1.92倍
4	ベルギー	31万3045	オランダ	11万4935	2.20倍
5	ノルウェー	29万1103	フランス	10万6827	2.63倍
6	ニュージーランド	28万9798	カナダ	10万6342	2.71倍
7	カナダ	28万8263	**日本**	10万3861	2.19倍
8	デンマーク	28万6712	ニュージーランド	9万8613	2.94倍
9	シンガポール	28万3118	イギリス	9万7169	2.86倍
10	フランス	28万0580	シンガポール	9万1656	3.09倍
11	イギリス	27万9048	スペイン	8万7188	不明
12	オランダ	25万3205	ノルウェー	8万0054	3.64倍
13	スウェーデン	24万9765	イタリア	7万9239	2.75倍
14	香港	24万4672	台湾	7万8177	2.72倍
15	アイルランド	23万2952	アイルランド	7万2473	3.21倍
16	オーストリア	23万1368	オーストリア	7万0074	3.30倍
17	**日本**	22万7235	韓国	6万5463	不明
18	イタリア	21万7727	**アメリカ**	6万1667	6.55倍
19	ドイツ	21万4893	デンマーク	6万0999	4.70倍
20	台湾	21万2375	香港	5万8905	4.15倍

出所：ウェブサイト『Visual Capitalist』、2019年8月16日のエントリーより引用、平均・中央値倍率を加筆

中しているかがわかりやすい。

そして、この表はアメリカ社会の資産格差がどんなに大きいか、逆に日本社会の資産格差がどんなに小さいかを教えてくれる。アメリカでは成人１人当たりの平均資産は約40万4000ドルで、日本円にすると4400万円前後になる。なんと豊かな国かと思うが、成人１人当たりの資産中央値は６万2000ドル弱に過ぎない。日本円にすれば約680万円だ。アメリカ国民の半分はこの金額以下の資産しか持っていないわけだ。

一方、日本の成人１人当たり平均資産は22万7000ドル強（約2510万円）で、アメリカの半分強だ。しかし資産中央値は約10万4000ドル（約1150万円）で、アメリカよりずっと多い。日本国民の半分はこの金額以上の資産を持っている。

資産平均値が中央値の３倍以上になっている国は、一握りの大富豪が平均値をかなり引っ張り上げている、不平等な国と言えるだろう。その中でもアメリカの６・55倍は突出している。一方、この倍率が２・20倍以内に収まっている国は、比較的平等性の高い国だと言えるだろう。

この表で取り上げた国々の中ではオーストラリア、ベルギー、オランダ、日本が２・20倍以内だ。だが日本以外の３か国は資産分布の平等性について、必ずしも額面どおりに受け取れないところがある。

まずオーストラリアでは、資源の採掘や貨物輸送などのブルーカラー的な仕事で年収1000万円以上という人が多い。この事実が成人1人当たり19万1500ドルという、スイスより高い資産中央値を支えているわけだ。

なぜブルーカラーに高給取りが多いかというと、中国がオーストラリアの資源を大量に輸入してくれていた要因が大きい。果たして中国経済が資源浪費型高成長を維持できなくなったとき、同じように平等性の高い資産分布を維持できるだろうか。

ベルギーとオランダの資産分布の平等性は、ベルギーのブリュッセルにEU本部が存在し、両国ともEU関連の多くの業務を遂行するとともにEU官僚の消費需要を取りこんでいる要因もある。これもまた、すでにイギリスがEUを離脱し、イタリアなどでも離脱派勢力が拡大する中、いつまで続く利点か怪しくなっている。

日本の資産格差が小さいことについては、あまり特殊な要因は思い浮かばない。あえて言えば、強大な利権集団がほとんど存在しないことだ。閣僚級の政治家を買収する費用がたかだかベンツ1台分で済む。

米中のような利権大国では、政治家お抱えの運転手のチップぐらいにしかならないほど少額だ。さぞお買い得に見えるだろう。その代わり、買収した政治家が回してくれる利権にも大した価値はない。

このように強力な利権集団が存在しないのは、特殊な要因と呼ぶべきだろうか。中国やアメリカのように、ありとあらゆることに利権がからんでくる国を見ていると、そう思えてくる。だが、それは不幸なことだ。

利権集団の弱い日本には、とんでもない大富豪はめったにいない。国民の大部分がそこにカネを持っていて、多少なりとも自分の趣味に合った生き方ができる。消費の多様性が経済発展を牽引する状態をつくり出しやすい。利権集団の力が強い国では、なかなかそうはいかない。

米中利権超大国が共倒れしたあと、日本は世界にどんな貢献ができるだろうか。強大な利権集団の形成を許さないことは、もちろんだ。それと同時に知的能力が高い人たちをむやみにほめそやさないことも重要ではないか。

中国には制度として定着してから数えただけでも千数百年の歴史を持つ科挙という知的エリート選抜制度があった。アメリカは凡人ばかりで知的刺激のとぼしい国と言われていたところは比較的健全な発展をしていたが、知的エリート崇拝の風潮が蔓延してからはひどい国になった。他山の石としたい。

おわりに

書き終えてあらためて感じたことがある。世界覇権を争う2大国がそろいもそろって、これほど利権集団のはびこる国だったことが、かつてあっただろうか。

米ソ冷戦時代もかなり汚い東西両巨頭の対決だった。それでも現代アメリカと現代中国ほど利権まみれではなかったような気がする。

ここまで醜悪な利権大国同士が覇権を争うには、それなりに理由があるだろう。最大の理由は、経済を牽引する産業は製造業からサービス業に変わったのに、製造業の設備投資資金調達のために肥大化した金融業が、そのまま経済の中枢に居続けようと利権をばら撒いていることなのではないだろうか。

ただしアメリカの金融業界を唯一の例外として、先進諸国の金融業界が軒並み構造不況に陥っている。そろそろ舞台も替わり、主役も敵役も交代する時期が来ているからこそ、製造業全盛時代の主役アメリカと、遅れてきた製造業主導国家中国が、カネと権力の力で舞台にしがみついているのではなかろうか。

第二次世界大戦後初めて金融業界からの献金をほとんどもらわずに大統領になったトランプは、だからこそ真剣に中国の現政権を潰そうとした。そして再選には失敗したが、トランプ政権末期に着手した中国叩きの諸政策は徐々に中国社会に波紋を広げつつある。

アメリカの2大政党主流派と中国共産党ががっちり手を組んで築き上げた利権の構造は、はた目には難攻不落に見える。しかし、カネや権力の力で無理を押し通す利権構造が定着しているからには、米中両国が利権の横車を押したために被害をこうむった人たちが確実に増えているはずだと思い当たる。

本書では米中両国それぞれについて、この構造にどこでどうほころびが生ずるのかも考えてみた。

中国共産党結党と、アメリカの第一次世界大戦後不況の1921年から100年、
国共内戦勃発と、米連邦議会でのロビイング規制法成立の1946年から75年、
中国で林彪のクーデター失敗と、ニクソン大統領の「米ドルの金兌換停止」宣言の1971年から50年、

2021年5月中旬の吉き日に

増田悦佐

参考文献

書籍

◉ 大西広・矢野剛編『中国経済の数量分析』（2003年、世界思想社）
◉ 川島博之著『データで読み解く中国経済　やがて中国の失速がはじまる』（2012年、東洋経済新報社）
◉ 高橋五郎著『農民も土も水も悲惨な中国農業』（2009年、朝日新書）
◉ 田代秀敏著『中国に人民元はない』（2007年、文春新書）
◉ 陳桂棣・春桃著『中国農民調査』（2005年、文藝春秋）
◉ 富坂聰著『習近平と中国の終焉』（2012年、角川SSC新書）
◉ 南雲智著『中国「戯れ歌」ウォッチング』（2000年、論創社）
◉ 兵頭二十八著『日本の武器で滅びる中華人民共和国』（2017年、講談社＋α新書）
◉ 星野博美著『愚か者、中国をゆく』（2008年、光文社新書）
◉ 三浦有史著『不安定化する中国——成長の持続性を揺るがす格差の構造』（2010年、東洋経済新報社）
◉ 湯浅誠著『中国のとことん「無法無天」な世界』（2011年、ウェッジ）
◉ 吉岡桂子著『愛国経済　中国の全球化』（2008年、朝日選書）

ウェブサイト・雑誌・新聞など

◉ ウェブサイト『Axion』
◉ ウェブサイト『Acting Man』
◉ ウェブサイト『UPFINA』
◉ ウェブサイト『Alhambra Investment Partners』
◉ ウェブサイト『Wolf Street』
◉ ウェブ版　　『The Economist』
◉ ウェブサイト『Of Two Minds』
◉ クラウドファンディングサイト『Crowdpac』
◉ ウェブサイト『Groo-Inc.com』
◉ ウェブサイト『Simon Rabinovitch Homepage』
◉ ウェブサイト『GnS Economics』
◉ ウェブサイト『Deflation.com』
◉ ウェブサイト『Business Insider』
◉ ウェブサイト『Visual Capitalist』
◉ ウェブサイト『Philosophical Economics』
◉ Brookings Institute、『A Forensic Examination of China's National Accounts』
◉ ウェブサイト『Mish Talk』
◉ Mary Meeker、『Internet Trends, 2018』
◉ ウェブサイト『Yahoo! Finance』
◉ ウェブサイト『reddit』、サブスレッド「Wall Street Bets」
◉ ウェブサイト『Zero Hedge』

●著者略歴
増田悦佐（ますだ・えつすけ）
1949年東京都生まれ。一橋大学大学院経済学研究科修了後、ジョンズ・ホプキンス大学大学院で歴史学・経済学の博士課程修了。ニューヨーク州立大学助教授を経て帰国、HSBC証券、JPモルガン等の外資系証券会社で建設・住宅・不動産担当アナリストなどを務める。現在、経済アナリスト・文明評論家として活躍中。
著書に『投資はするな！』『新型コロナウイルスは世界をどう変えたか』『アイドルなき世界経済』『日本経済2020 恐怖の三重底から日本は異次元急上昇』『これからおもしろくなる世界経済』『最強の資産は円である！』（以上、ビジネス社）、『日本人が知らないトランプ後の世界を本当に動かす人たち』（徳間書店）、『資産形成も防衛もやはり金だ』（ワック）、『米中貿易戦争 アメリカの真の狙いは日本』（コスミック出版）、『戦争と平和の経済学』（PHP研究所）など多数ある。
「読みたいから書き、書きたいから調べる――増田悦佐の珍事・奇書探訪」、etsusukemasuda.info を主宰しています。ぜひのぞいてみてください。

米中「利権超大国」の崩壊

2021年7月1日　　第1刷発行

著　者　増田　悦佐
発行者　唐津　隆
発行所　株式会社ビジネス社
〒162-0805 東京都新宿区矢来町114番地
神楽坂高橋ビル5階
電話 03(5227)1602　FAX 03(5227)1603
http://www.business-sha.co.jp

カバー印刷・本文印刷・製本/半七写真印刷工業株式会社
〈カバーデザイン〉大谷昌稔
〈本文DTP〉茂呂田剛（エムアンドケイ）
〈編集担当〉本田朋子　〈営業担当〉山口健志

ISBN978-4-8284-2293-0